今すぐ使える かんたん
YouTube 入門
改訂2版

Imasugu Tsukaeru Kantan Series : YouTube

技術評論社

本書の使い方

- 画面の手順解説だけを読めば、操作できるようになる！
- もっと詳しく知りたい人は、両端の「側注」を読んで納得！
- これだけは覚えておきたい機能を厳選して紹介！

特　長　1
機能ごとに**まとまっている**ので、「やりたいこと」がすぐに見つかる！

● **基本操作**
赤い矢印の部分だけを読んで、パソコンを操作すれば、難しいことはわからなくても、あっという間に操作できる！

やわらかい上質な紙を
使っているので、
開いたら閉じにくい！

● 補足説明

操作の補足的な内容を「側注」にまとめているので、
よくわからないときに活用すると、疑問が解決！

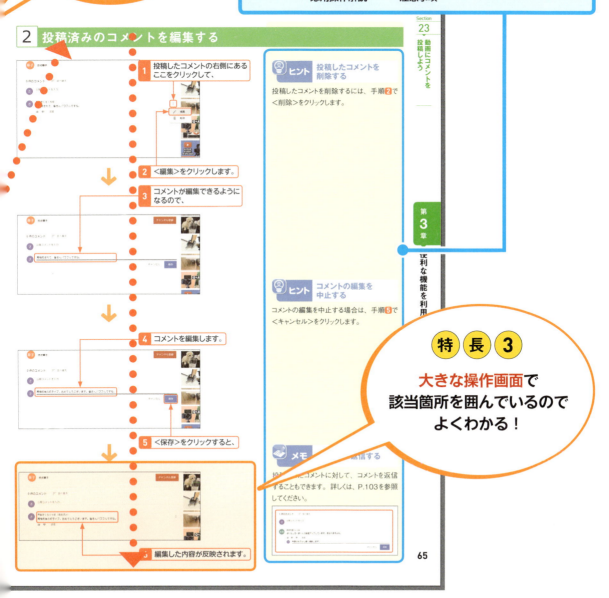

大きな操作画面で
該当箇所を囲んでいるので
よくわかる！

パソコンの基本操作

- 本書の解説は、基本的にマウスを使って操作することを前提としています。
- お使いのパソコンのタッチパッド、タッチ対応モニターを使って操作する場合は、各操作を次のように読み替えてください。

1 マウス操作

▼クリック（左クリック）

クリック（左クリック）の操作は、画面上にある要素やメニューの項目を選択したり、ボタンを押したりする際に使います。

マウスの左ボタンを1回押します。

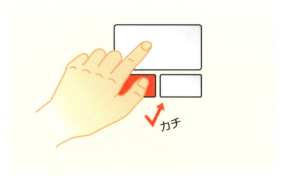

タッチパッドの左ボタン（機種によっては左下の領域）を1回押します。

▼右クリック

右クリックの操作は、操作対象に関する特別なメニューを表示する場合などに使います。

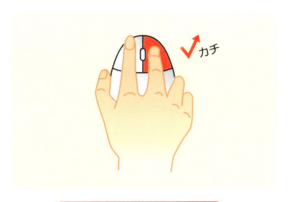

マウスの右ボタンを1回押します。

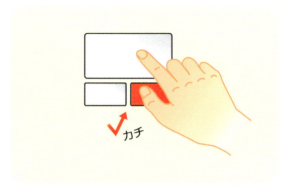

タッチパッドの右ボタン（機種によっては右下の領域）を1回押します。

▼ **ダブルクリック**

ダブルクリックの操作は、各種アプリを起動したり、ファイルやフォルダーなどを開く際に使います。

マウスの左ボタンをすばやく2回押します。

タッチパッドの左ボタン（機種によっては左下の領域）をすばやく2回押します。

▼ **ドラッグ**

ドラッグの操作は、画面上の操作対象を別の場所に移動したり、操作対象のサイズを変更する際などに使います。

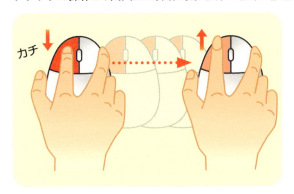

マウスの左ボタンを押したまま、マウスを動かします。目的の操作が完了したら、左ボタンから指を離します。

タッチパッドの左ボタン（機種によっては左下の領域）を押したまま、タッチパッドを指でなぞります。目的の操作が完了したら、左ボタンから指を離します。

メモ　ホイールの使い方

ほとんどのマウスには、左ボタンと右ボタンの間にホイールが付いています。ホイールを上下に回転させると、Webページなどの画面を上下にスクロールすることができます。そのほかにも、Ctrlを押しながらホイールを回転させると、画面を拡大・縮小したり、フォルダーのアイコンの大きさを変えることができます。

パソコンの基本操作

2 利用する主なキー

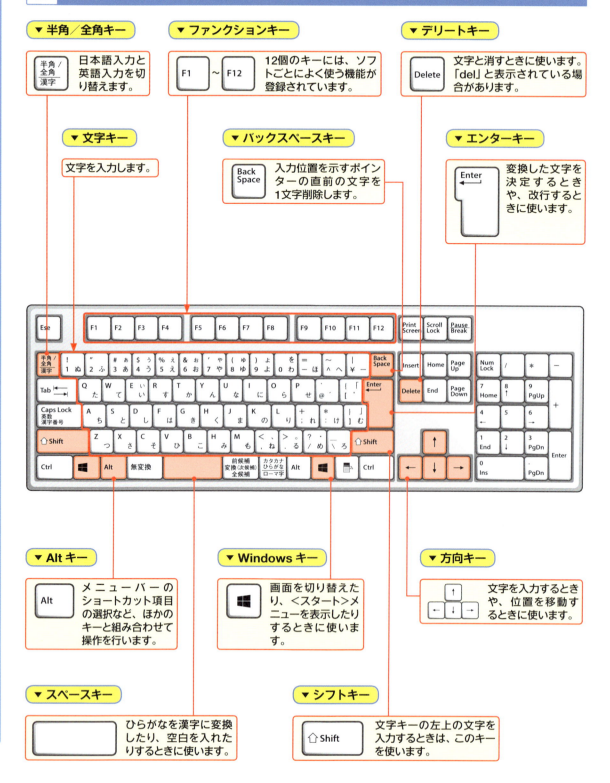

3 タッチ操作

▼ タップ

画面に触れてすぐ離す操作です。ファイルなど何かを選択する時や、決定を行う場合に使用します。マウスでのクリックに当たります。

▼ ダブルタップ

タップを2回繰り返す操作です。各種アプリを起動したり、ファイルやフォルダーなどを開く際に使用します。マウスでのダブルクリックに当たります。

▼ ホールド

画面に触れたまま長押しする操作です。詳細情報を表示するほか、状況に応じたメニューが開きます。マウスでの右クリックに当たります。

▼ ドラッグ

操作対象をホールドしたまま、画面の上を指でなぞり上下左右に移動します。目的の操作が完了したら、画面から指を離します。

▼ スワイプ／スライド

画面の上を指でなぞる操作です。ページのスクロールなどで使用します。

▼ フリック

画面を指で軽く払う操作です。スワイプと混同しやすいので注意しましょう。

▼ ピンチ／ストレッチ

2本の指で対象に触れたまま指を広げたり狭めたりする操作です。拡大（ストレッチ）／縮小（ピンチ）が行えます。

▼ 回転

2本の指先を対象の上に置き、そのまま両方の指で同時に右または左方向に回転させる操作です。

パソコンの基本操作

目次

Contents

第1章 YouTubeをはじめよう

Section 01 YouTubeってどんなサービス? 18

世界最大の動画共有サイト
YouTubeでできること

Section 02 YouTubeのトップページを開こう 20

YouTubeにアクセスする
GoogleからYouTubeを表示する

Section 03 YouTubeの画面を確認しよう 22

YouTubeの基本的な画面構成
アカウントアイコンからメニューを開く

Section 04 お気に入りに登録しておこう 24

YouTubeを<お気に入りバー>に追加する

第2章 動画を視聴しよう

Section 05 動画を再生しよう 26

動画を再生する
再生画面の構成

Section 06 動画の音量を調整しよう 28

音量を大きくする／小さくする
音量をミュート（消音）にする

Section 07 動画の再生位置を調整しよう 30

再生位置を移動する

Section 08 画面のサイズを変更しよう 32

全画面表示に切り替える
シアターモードに切り替える

Section 09 動画の画質を変更しよう　　34

画質（解像度）を変更する

Section 10 関連動画を視聴してみよう　　36

関連動画を選択する

Section 11 次に視聴する動画を指定しよう　　38

動画をキューに追加する
キューの再生順を変更する

Section 12 ライブ配信の動画を視聴しよう　　40

＜ライブ＞からライブ配信を探す
リマインダーを設定する

Section 13 自動再生のオン／オフを切り替えよう　　42

自動再生をオフにする

第3章 便利な機能を利用しよう

Section 14 アカウントを取得しよう　　44

Googleアカウントを作成する

Section 15 YouTubeにログイン／ログアウトしよう　　48

YouTubeにログインする
YouTubeからログアウトする

Section 16 自分用のチャンネルを作成しよう　　50

チャンネルを作成する

Section 17 動画を＜後で見る＞リストに追加しよう　　52

動画の再生画面から追加する
＜後で見る＞リストで動画を再生する

Section 18 動画を再生リストにまとめよう　　54

再生リストを作成する
作成した再生リストに動画を追加する

9

目次

Contents

Section 19 再生リストの動画を再生しよう 　　　　56

再生リストを表示する
動画を再生する

Section 20 再生リストを編集しよう 　　　　58

再生リストの名前と説明を編集する
再生リストのプライバシー設定を変更する

Section 21 再生リストの再生順を自由に決めよう 　　　　60

再生順を並べ替える
再生順を手動で並べ替える

Section 22 動画を共有しよう 　　　　62

再生リストを共有する
動画の再生画面から共有する

Section 23 動画にコメントを投稿しよう 　　　　64

動画にコメントを投稿する
投稿済みのコメントを編集する

Section 24 ライブ配信のチャットに参加しよう 　　　　66

ライブチャットに参加する

Section 25 動画に評価を付けよう 　　　　68

動画を評価する

第4章 動画を効率的に探そう

Section 26 複数のキーワードで検索しよう 　　　　70

キーワードを複数指定する

Section 27 フィルタで絞り込みを行おう 　　　　72

フィルタで条件を指定する
フィルタで検索結果を並べ替える

Section 28 **チャンネルから動画を探そう** 74

登録チャンネルの一覧を表示する

Section 29 **気に入ったチャンネルを登録しよう** 76

動画を視聴中に登録する
チャンネル一覧で登録する

Section 30 **登録したチャンネルを管理しよう** 78

登録したチャンネルを表示する
チャンネル登録を解除する

Section 31 **興味のない動画を非表示にしよう** 80

動画を非表示にする
チャンネルを非表示にする

Section 32 **不適切な動画を非表示にしよう** 82

制限付きモードを有効にする
制限付きモードにロックをかける

Section 33 **再生履歴から動画を探そう** 84

<再生履歴>を表示する
再生履歴を検索する

Section 34 **検索履歴から動画を探そう** 86

<検索履歴>を表示する
検索履歴を削除する

Section 35 **人気のある動画を探そう** 88

急上昇の動画を見る

目次

第 5 章　動画を投稿しよう

Section 36　動画の管理にはYouTube Studioを使う … 90

YouTube Studioを起動する
YouTube Studioの画面構成

Section 37　動画をアップロードしよう … 92

動画をアップロードする
動画の情報を設定する

Section 38　サムネイルを設定しよう … 96

カスタムサムネイルを設定する

Section 39　公開範囲と公開日時を設定しよう … 98

公開範囲を設定する
公開日時を設定する

Section 40　投稿した動画を編集しよう … 100

動画のタイトルや説明文を編集する
動画の不要な部分をカットして編集する

Section 41　視聴者のコメントに返信しよう … 102

視聴者のコメントを読む
コメントに返信する

Section 42　コメントを管理しよう … 104

動画のコメントを表示する
コメントを削除する

Section 43　投稿した動画を削除しよう … 106

アップロードした動画を削除する

第6章 自分のチャンネルを管理しよう

Section 44 自分のチャンネルに情報を入力しよう　108
　チャンネルの説明を入力する

Section 45 バナー画像やプロフィール写真を設定しよう　110
　バナー画像を設定する

Section 46 自分のチャンネルの公開設定を行おう　112
　プライバシー設定画面を表示する
　公開設定を変更する

Section 47 チャンネル紹介動画を掲載しよう　114
　チャンネル紹介動画を設定する

Section 48 チャンネルの公開コメントを発信しよう　116
　フリートークに公開コメントを入力する
　フリートークで視聴者とやり取りする

Section 49 迷惑な視聴者をブロックしよう　118
　特定のユーザーをブロックする
　ブロックを解除する

Section 50 視聴回数や総再生時間を分析しよう　120
　アナリティクスを表示する
　詳細なデータを確認する

Section 51 新しいチャンネルを追加しよう　122
　ブランドアカウントを作成する

Section 52 複数のチャンネルを使い分けよう　124
　アカウントを切り替える

目次

第 7 章　スマホやタブレットのアプリで視聴しよう

Section 53　iPhoneにアプリをインストールしよう　126

iPhoneにYouTubeアプリをインストールする

Section 54　スマホで動画を視聴しよう　128

視聴したい動画を検索して再生する

Section 55　スマホで再生リストを利用しよう　130

新しい再生リストを作成して動画を追加する

Section 56　スマホで動画を投稿しよう　132

既存の動画をアップロードする
動画を撮影してアップロードする

Section 57　アプリからの通知をオフにしよう　136

通知が不要な項目をオフにする

Section 58　子供が利用する場合の制限を設定しよう　138

YouTube Kidsでプロフィールを設定する
視聴できる時間を設定する

Section 59　利用中のデータ通信料に注意しよう　142

スマートフォンをWi-Fiに接続する

第 8 章　困ったときの解決策

Question 01　年齢確認の画面が表示された　144

Question 02　広告表示を消したい　145

Question 03　プレミアム会員の勧誘画面が表示された　146

Question 04　同じ動画を繰り返し再生したい　146

Question 05	画面が途中で止まってしまった	147
Question 06	日本語の文字が入力できない	147
Question 07	メニューが日本語で表示されない	148
Question 08	字幕を日本語にしたい	149
Question 09	通知メールを受け取りたくない	150
Question 10	YouTubeアプリにはどんなものがあるの	150
Question 11	テレビでYouTube上の動画を視聴したい	151
Question 12	著作権侵害の申し立てが表示された	152
Question 13	無料で利用できる音源を探したい	152
Question 14	ほかのサイトに動画を埋め込みたい	153
Question 15	パスワードを忘れてしまった	154
Question 16	再設定用のメールアドレスを登録したい	155
Question 17	利用規約を確認したい	156
Question 18	権利違反の動画を発見した	156
Question 19	Googleアカウントを削除したい	157

| 索引 | 158 |

ご注意：ご購入・ご利用の前に必ずお読みください

● 本書に記載された内容は、情報提供のみを目的としています。したがって、本書を用いた運用は、必ずお客様自身の責任と判断によって行ってください。これらの情報の運用の結果について、技術評論社および著者はいかなる責任も負いません。

● ソフトウェアに関する記述は、特に断りのない限り、2020年11月末現在での最新情報をもとにしています。これらの情報は更新される場合があり、本書の説明とは機能内容や画面図などが異なってしまうことがあり得ます。あらかじめご了承ください。

本書の内容については、以下のOSおよびブラウザー上で動作確認を行っています。ご利用のOSおよびブラウザーによっては手順や画面が異なることがあります。あらかじめご了承ください。

Windows 10 Pro
Microsoft Edge 86.0.622.51
iPhone 11 Pro
iOS 14.1

● インターネットの情報については、URLや画面などが変更されている可能性があります。ご注意ください。

以上の注意事項をご承諾いただいた上で、本書をご利用願います。これらの注意事項をお読みいただかずに、お問い合わせいただいても、技術評論社および著者は対処しかねます。あらかじめご承知おきください。

■本書に掲載した会社名、プログラム名、システム名などは、米国およびその他の国における登録商標または商標です。本文中では ™、® マークは明記していません。

Chapter 01

第1章

YouTubeを
はじめよう

Section 01 **YouTubeってどんなサービス？**

02 **YouTubeのトップページを開こう**

03 **YouTubeの画面を確認しよう**

04 **お気に入りに登録しておこう**

Section 01 YouTubeってどんなサービス?

覚えておきたいキーワード
- ☑ YouTube
- ☑ Google
- ☑ 動画共有サイト

YouTube（ユーチューブ）は、Googleが運営する世界最大の動画共有サイトです。世界中のユーザーが投稿した動画を無料で視聴することができ、自分が撮影した動画を投稿して公開することもできます。また、視聴するだけでなく、動画にコメントを付けたり、評価したりすることもできます。

1 世界最大の動画共有サイト

🔍 キーワード　YouTube

YouTubeは、Googleが運営する世界最大の動画共有サイトです。2005年にアメリカで正式にサービスが開始され、2006年にGoogleによって買収されました。日本語版は2007年に開始されています。YouTubeのYouは「あなた」、Tubeは「ブラウン管（テレビ）」という意味です。

YouTubeは、Googleが運営する世界最大の動画共有サイトです。

日本だけでなく、海外で公開された動画を見ることもできます。

2 YouTubeでできること

ほかのユーザーが投稿した動画を視聴するだけでなく、自分が撮影した動画を公開して、世界中のユーザーに見てもらうこともできます。

 YouTubeに公開されている動画

YouTubeでは、ユーザーが自由に投稿している動画だけでなく、スポーツニュースやテレビ番組、映画の予告編、メディアの公式放送など、さまざまなジャンルの動画を視聴することができます。また、ライブ配信の動画も視聴できます。

動画に感想などのコメントを投稿したり、ほかのユーザーのコメントに対して返信や評価を行ったりすることができます。

動画を高く評価したり、低く評価したりして意見を表明することができます。

 YouTubeでできること

ここで紹介したほかに、お気に入りの動画を友人や家族と共有したり、自分のチャンネルを作成して自分で作成した動画を公開したり、気に入ったユーザーのチャンネルを登録したりすることもできます。

お気に入りの動画を再生リストに登録しておくと、いつでも好きなときに再生することができます。

Section 02 YouTubeのトップページを開こう

覚えておきたいキーワード
- ☑ Webブラウザ
- ☑ Microsoft Edge
- ☑ アドレス（URL）

YouTubeのトップページを開くには、Webブラウザを起動して、YouTubeのURLを入力します。Googleのトップページを開いている場合は、＜Googleアプリ＞から＜YouTube＞をクリックします。本書では、Windows 10に搭載されているMicrosoft EdgeをWebブラウザとして使用します。

1 YouTubeにアクセスする

ヒント　Microsoft Edgeを起動する

Microsoft Edge（マイクロソフトエッジ）は、Windows 10に標準で搭載されているWebブラウザです。Microsoft Edgeを起動するには、タスクバーに表示されている＜Microsoft Edge＞ をクリックします。表示されていない場合は、＜スタート＞をクリックして、＜Microsoft Edge＞をクリックします。

1 Microsoft Edgeを起動して（「ヒント」参照）、

2 アドレスバーをクリックし、入力できる状態にします。

キーワード　アドレス

アドレスは、インターネット上にあるWebページの場所を示す文字列で、「URL」（Uniform Resource Locator）ともいいます。アドレスを入力する際は、最初の「https://」を省略することもできます。

3 YouTubeのアドレス「https://www.youtube.com」を入力して、Enterを押します。

4 YouTubeのトップページが表示されます。

メモ　Chromeで動画を見る

YouTubeを表示すると、「YouTube動画はChromeで見る」というようなメッセージが表示される場合があります。本書ではMicrosoft Edgeを利用するため、＜いいえ＞をクリックします。Chromeを利用する場合は、本書の操作方法と異なる場合がありますのでご注意ください。

2 GoogleからYouTubeを表示する

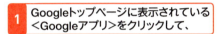
1 Googleトップページに表示されている＜Googleアプリ＞をクリックして、

2 ＜YouTube＞をクリックすると、YouTubeのトップページが表示されます。

メモ　Googleアプリ

YouTubeはGoogle（https://www.google.co.jp）が提供する動画アプリです。Googleを利用している場合は、＜Googleアプリ＞の一覧から＜YouTube＞をクリックするだけでアクセスできます。

ステップアップ　タスクバーからYouTubeを開く

YouTubeを開くには、タスクバーを利用する方法もあります。タスクバーにYouTubeを登録しておくと、Webブラウザを起動しなくても、YouTubeのアイコンをクリックするだけですばやく開くことが可能です。
アイコンを登録するには、右の手順で操作します。
なお、タスクバーの色はパソコンによって異なります。

1 ＜設定など＞をクリックして、

2 ＜その他のツール＞→＜タスクバーにピン留めする＞をクリックします。

3 ＜ピン留めする＞をクリックすると、

4 タスクバーにアイコンが登録されます。

Section 03 YouTubeの画面を確認しよう

覚えておきたいキーワード
- ガイド
- ログイン
- アカウントアイコン

YouTubeのトップページには、おすすめの動画やおすすめのチャンネルなどが一覧表示され、画面の左側には、動画を切り替えたり管理したりするためのガイドが表示されています。表示される内容は、ログインしているかどうかで異なります。ここでは、ログインしている状態の画面を表示します。

1 YouTubeの基本的な画面構成

- 画面左側に表示されるガイドの表示/非表示を切り替えます。
- 再生履歴や登録チャンネルに基づくおすすめの動画が表示されます。
- カテゴリ別に動画が表示されます。
- キーワードを入力して、動画を検索します。
- ログインするとアカウントアイコンが表示されます(P.23参照)。
- YouTubeからのお知らせが表示されます。
- 自分の動画をアップロードします。
- さまざまな分野の人気のチャンネルやおすすめのチャンネルが表示されます。
- 自分が再生した動画や検索した動画の履歴が表示されます。
- 検索用に「急上昇」や「音楽」「ニュース」などのジャンルが表示されます。
- あとで見るために登録した動画のリストやアップロードした動画、購入した映画、作成した再生リストなどが表示されます。
- 登録しているチャンネルのアップロード情報を確認できます。

2 アカウントアイコンからメニューを開く

YouTubeにログインすると（Sec.15参照）、画面の右上にアカウントアイコンが表示されます。アカウントアイコンをクリックすると、投稿した動画やアカウントなどに関する設定を行うメニューが表示されます。

 メモ ログインしていない状態の画面

YouTubeにログインしていない場合は、登録したチャンネルなどユーザー情報が表示されていない「ガイド」と、人気の動画やスポーツ、音楽ゲームなどの注目動画がトップページに表示されます。ガイド内と画面右上に＜ログイン＞が表示されています。クリックすると、ログイン画面に切り替わります。

Section 04 お気に入りに登録しておこう

覚えておきたいキーワード
- ☑ お気に入り
- ☑ お気に入りバー
- ☑ お気に入りの編集

お気に入りとは、頻繁に開くWebページを登録しておく場所のことです。YouTubeをお気に入りに追加しておくと、毎回URLを入力したりせずにYouTubeを開くことができます。お気に入りの追加には、フォルダーに保存する方法とお気に入りバーに追加して画面上に表示させておく方法があります。

1 YouTubeを＜お気に入りバー＞に追加する

ヒント お気に入りバーを表示する

お気に入りバーが表示されていない場合は、Microsoft Edgeの＜設定など＞をクリックして、＜お気に入り＞→＜お気に入りバーの表示＞→＜常に＞をクリックします。

1 YouTubeのトップページを表示して、

2 ＜このページをお気に入りに追加＞をクリックします。

3 ＜お気に入りの編集＞画面が表示されるので、名前を指定して、

4 ＜完了＞をクリックします。

5 お気に入りバーに表示されます。

ヒント お気に入りから削除する

＜お気に入り＞から削除するには、＜お気に入り＞☆をクリックして、＜YouTube＞を右クリックし、＜削除＞をクリックします。

ステップアップ YouTubeを＜お気に入り＞のフォルダーに追加する

手順3の画面で、＜お気に入りバー＞をクリックして、＜その他のお気に入り＞（あるいは＜別のフォルダーを選択してください＞でフォルダーを新規作成したフォルダー）をクリックすると、フォルダーに追加できます。ページを開くには、＜お気に入り＞☆をクリックして、指定したフォルダー内の＜YouTube＞をクリックします。

Chapter 02

第2章

動画を視聴しよう

Section	05	動画を再生しよう
	06	動画の音量を調整しよう
	07	動画の再生位置を調整しよう
	08	画面のサイズを変更しよう
	09	動画の画質を変更しよう
	10	関連動画を視聴してみよう
	11	次に視聴する動画を指定しよう
	12	ライブ配信の動画を視聴しよう
	13	自動再生のオン／オフを切り替えよう

Section 05 動画を再生しよう

覚えておきたいキーワード
- ☑ サムネイル
- ☑ 動画プレーヤー
- ☑ ツールバー

YouTubeのトップページにはおすすめの動画やおすすめのチャンネルなどがサムネイル（縮小画像）で一覧表示されています。ここでは、トップページに表示されている動画の中から視聴したい動画を再生してみましょう。動画のサムネイルまたはタイトルをクリックすると、動画が再生されます。

1 動画を再生する

ヒント　動画を再生する

ここでは、トップページに表示されている動画の中から選んで再生しましたが、動画をキーワードで検索し、表示された検索結果の中から目的の動画を選択して再生することもできます（Sec.26参照）。

1 YouTubeのトップページを表示します（Sec.02参照）。

2 視聴したい動画のサムネイルまたはタイトルをクリックすると、

3 動画が動画プレーヤーで再生されます。

ここが動画プレーヤーです。

メモ　再生中はインターネット接続が必要

YouTubeでは、動画をダウンロードしてから再生するのではなく、動画を受信しながら同時に再生を行うストリーミング方式で再生されます。そのため、再生中はインターネットに接続している必要があります。

2 再生画面の構成

1 再生中の動画にマウスポインターを合わせると、

2 動画プレーヤーの下部にツールバーが表示されます。このツールバーで動画を操作します。

> **ヒント　再生の一時停止と再開**
>
> 再生の一時停止と再開は、ツールバーのアイコンをクリックします。そのほか、再生中の動画プレーヤー上をクリックすることで、切り替えます。
>
>
>
> 画面上をクリックするたびに、一時停止と再開を繰り返します。

ツールバーの機能

- 動画を一時停止／再開します。
- 音量を調整します（Sec.06参照）。
- 動画に字幕がある場合に表示されます。字幕のオン／オフを切り替えます（P.149参照）。

- 小さい画面で表示するミニプレーヤーに切り替えます（P.33参照）。
- シアターモードに切り替えます（P.33参照）。
- 全画面表示に切り替えます（P.32参照）。
- 動画全体の長さと再生された時間が表示されます。
- 自動再生のオン／オフを切り替えます（Sec.13参照）。
- 再生速度や字幕、画質などを設定します。
- 次の動画にスキップします。

Section 05 動画を再生しよう

第2章 動画を視聴しよう

27

Section 06 動画の音量を調整しよう

覚えておきたいキーワード
☑ 音量アイコン
☑ 音量調整
☑ ミュート（消音）

動画の音量を調整するには、動画プレーヤーの下部に表示される音量アイコンで設定します。音量アイコンのスライダーをドラッグすると、音を大きくしたり、小さくしたりすることができます。動画の音量を調整しても音が変わらない場合は、パソコンの音量を確認しましょう。

1 音量を大きくする／小さくする

メモ　音量を調整する

再生中の動画の音量は、動画プレーヤーのツールバーにある音量アイコンで調整します。音量アイコンにマウスポインターを合わせると、音量調整のためのスライダーが表示されます。スライダーを右側へドラッグすると音が大きくなり、左側へドラッグすると音が小さくなります。

1 再生中の動画にマウスポインターを合わせると、動画プレーヤーの下にツールバーが表示されます。

2 音量アイコンにマウスポインターを合わせると、

3 音量調整のためのスライダーが表示されます。

4 スライダーを右側へドラッグすると、音が大きくなります。

| ヒント | 音量が調整できない |

音量調整のスライダーをドラッグしても音が調整されない場合は、パソコンの音量を確認します（下の「ステップアップ」参照）。

5 スライダーを左側へドラッグすると、音が小さくなります。

2 音量をミュート（消音）にする

1 音量アイコンをクリックすると、

2 音量をミュートにすることができます。再度クリックすると、ミュートが解除されます。

| メモ | 音量をミュートにする |

スライダーをいちばん左までドラッグしても、同様にミュート（消音）の状態になります。

ステップアップ　パソコンの音量を調整する

動画の音量を調整しても音が大きくまたは小さくならない場合は、パソコンの音量を確認します。タスクバーに表示されているスピーカーのアイコンをクリックすると、音量が確認できます。スライダーをドラッグして音量を調整します。

スピーカーのアイコンをクリックすると、音量が確認できます。

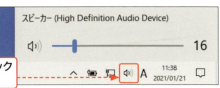

Section 07 動画の再生位置を調整しよう

覚えておきたいキーワード
- ☑ 現在の再生位置
- ☑ 全体の再生時間
- ☑ シークバー

再生中の動画にマウスポインターを合わせると、動画プレーヤーの下部に動画の長さや現在の再生位置が表示されます。また、シークバー（進行状況バー）でも現在の再生位置を確認することができます。再生位置を調整したいときは、シークバーの上でマウスをクリックするかドラッグします。

1 再生位置を移動する

 キーワード　シークバー

シークバーは、動画の再生位置を表示するバーのことです。進行状況バーともいいます。

1 再生中の動画にマウスポインターを合わせると、

2 動画の長さや現在の再生位置を確認することができます。

3 動画の再生位置はシークバー（進行状況バー）でも確認することができます。赤く表示されている部分が再生が終わった部分です。

メモ　動画の長さや現在の再生位置

右下の動画の場合は、長さが20分20秒で、現在は2分52秒の部分を再生していることを示しています。

Section 07 動画の再生位置を調整しよう

メモ　画像のサムネイル表示

シークバーにマウスポインターを合わせると表示されるサムネイル画像は、動画によっては表示されない場合があります。

4 動画の再生位置を移動したい場合は、シークバーの任意の位置にマウスポインターを合わせると、その位置でのサムネイル画像が表示されます。

5 ツールバーの任意の位置をクリックすると、その位置から再生が開始されます。

6 シークバー上にマウスポインターを合わせると、赤い丸が表示されます。その丸を左右にドラッグすることでも再生位置を移動させることができます。

メモ　黄色のバー

シークバー上に黄色のバーが表示される場合がありますが、これは広告が表示される再生位置を示しています。広告については、P.145を参照してください。

第2章　動画を視聴しよう

31

Section 08 画面のサイズを変更しよう

覚えておきたいキーワード
- ☑ 全画面表示
- ☑ シアターモード
- ☑ ミニプレーヤー

動画プレーヤーのサイズは、通常表示しているWebブラウザの画面サイズに合わせて自動的に調整されます。大きな画面で視聴したい場合は、全画面表示にしたり、少し大きめのシアターモードで表示したりすることができます。また、パソコン版では画面の右下に表示するミニプレーヤーも利用できます。

1 全画面表示に切り替える

メモ　全画面表示にする

全画面表示にすると、動画を再生しているパソコンなどの画面いっぱいに動画が拡大表示され、動画以外の情報は表示されなくなります。

1 再生中の動画にマウスポインターを合わせて、

2 ＜全画面＞をクリックすると、

3 動画がパソコンの画面全体に拡大されて表示されます。

4 ＜全画面モードの終了＞をクリックするか、Escを押すと、もとのサイズに戻ります。

メモ　詳細を表示する

全画面表示のツールバーに＜スクロールして詳細を表示＞の▼をクリックすると、画面下に評価やコメント、関連動画が表示されます。

2 シアターモードに切り替える

1 再生中の動画にマウスポインターを合わせて、

2 ＜シアターモード＞をクリックすると、

3 シアターモードで表示されます。

4 ＜デフォルト表示＞をクリックすると、もとのサイズに戻ります。

キーワード シアターモード

シアターモードは、動画プレーヤーがWebブラウザの横幅に合わせて拡大されて再生されるモードです。

ヒント Webブラウザのサイズを変更する

Webブラウザのサイズを調整すると、動画プレーヤーのサイズも変更されます。

ヒント ミニプレーヤーに切り替える

再生中の動画を、画面の右下に小さな画面で表示する機能がミニプレーヤーです。YouTubeのパソコン版で利用できます（Internet Explorerは非対応）。ツールバーの＜ミニプレーヤー＞ をクリックするとミニプレーヤーが表示されます。ミニプレーヤーの画面上をクリックして、再生と一時停止を切り替えます。もとのサイズに戻すには、画面上にマウスポインターを合わせて、左上の＜拡大＞ をクリックします。

ミニプレーヤー

33

Section 09 動画の画質を変更しよう

覚えておきたいキーワード
- ☑ 画質
- ☑ 解像度
- ☑ 設定

動画再生時の画質（解像度）は、通常は利用しているインターネットの接続速度や動画プレーヤーのサイズに応じて自動的に調整されていますが、手動で変更することもできます。動画プレーヤーの下部に表示されるツールバーの＜設定＞から＜画質＞をクリックして、解像度を選択します。

1 画質（解像度）を変更する

メモ 動画の画質

ツールバーの＜設定＞をクリックすると、現在の画質（解像度）が表示されます。初期設定では＜自動＞が選択されており、動画プレーヤーのサイズに合わせた最高画質で再生されます。

1 再生中の動画にマウスポインターを合わせて、

2 ツールバーの＜設定＞をクリックし、

ヒント 解像度の種類

YouTubeで視聴できる動画の画質には、144p、240p、360p、480p、720p（HD）、1080p（HD）、1440pなどの種類があり、数字が大きいほど高画質になります。ただし、高画質にすると負荷も大きくなり、通信環境によっては再生ができなくなる場合もあるので注意が必要です。

3 ＜画質＞をクリックします。

第2章 動画を視聴しよう

4 選択できる解像度の一覧が表示されるので、

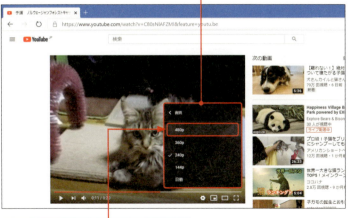

> **メモ** 高画質にできない
>
> 公開されている動画が標準解像度（240pや360p）で録画されている場合は、高解像度の720p（HD）、1080p（HD）などで再生することができません。

5 設定したい解像度をクリックします。

6 <設定>をクリックすると、画質が変更されているのが確認できます。

ステップアップ　動画の再生速度を変更する

YouTubeで視聴できる動画の再生速度は、7段階あります。通常は「標準」（1倍）に設定されていますが、動画をじっくり見るためにスロー再生させたり、講演などは2倍速で再生させたりすることができます。
ツールバーの<設定>をクリックして<速度>をクリックすると、選択できる速度の一覧が表示されるので、設定したい速度を選択します。

速度を選択します。

35

Section 10 関連動画を視聴してみよう

覚えておきたいキーワード
☑ 関連動画
☑ 再生履歴
☑ 自動再生

YouTubeでは、動画の再生中に動画プレーヤーの右側に関連動画が表示されます。関連動画は、今視聴している動画と似たようなジャンルのおすすめ動画が一覧で表示される機能で、YouTubeの再生履歴に基づいています。初期設定では、関連動画が自動的に再生されるようになっています。

1 関連動画を選択する

 メモ 関連動画はどのように決まるのか

関連動画は、YouTubeの再生履歴に基づいて決定されます。

1 動画を再生します。

次の動画が関連動画として一覧に表示されています。

 **メモ 次の動画のカウントダウン**

動画の自動再生機能は初期設定ではオンになっており（Sec.13参照）、動画の再生が終わると、次に再生される動画をお知らせするカウントダウンが始まります。画面を下にスクロールした場合や、検索ボックスにキーワードを入力している場合には、一時的にカウントダウンは停止します。

2 動画の再生が完了すると、次の動画を自動再生するための画面が表示されます。

3 ＜キャンセル＞をクリックせずにそのまま待っていると、

ヒント 関連動画の一覧から再生する

カウントダウンで＜キャンセル＞をクリックせずに次の動画が再生されると、関連動画の一覧も更新されます。見たい動画がある場合は、次の動画が再生される前に、関連動画の一覧から動画をクリックするとよいでしょう。「キューの追加」を利用すると、次に視聴する動画を指定しておくこともできます（Sec.11 参照）。

4 次の動画が自動的に再生されます。

ステップアップ 動画の自動再生をキャンセルする

次の動画のカウントダウンで＜キャンセル＞をクリックすると、動画の自動再生がキャンセルされ、動画プレーヤー上に関連動画のサムネイルが一覧で表示されます。

Section 11 次に視聴する動画を指定しよう

覚えておきたいキーワード
- ☑ キューに追加
- ☑ 次の動画
- ☑ 再生順の変更

動画の再生が終了すると、右側に表示されている関連動画が自動的に再生されます。キューに追加を利用すると、次に視聴したい動画を指定することができます（デスクトップ版のみ）。このリストはそのときだけ視聴するもので、Webブラウザを終了すると消去されます。

1 動画をキューに追加する

キーワード　キューに追加

＜キューに追加＞はデスクトップ版でのみ利用できる機能です。関連動画は自動的に選択されて再生されるものですが、この機能はユーザー自身がいま見たい動画を指定できます。

1 動画のサムネイルにマウスポインターを合わせて

2 ＜キューに追加＞をクリックします。

3 キューに追加された動画がミニプレーヤーに表示されます。

ヒント　そのほかの追加方法

動画の＜その他アイコン＞ をクリックして、＜キューに追加＞をクリックしてもキューに追加できます。

Section 11 次に視聴する動画を指定しよう

4 同様にして、見たい動画を追加します。

ヒント キューの動画を削除する

追加したキューの動画で不要になったら、動画の＜削除＞🗑 をクリックして削除します。最初のキューを削除することは、キューを終了することになります。再生画面の＜閉じる＞❌ をクリックします。確認メッセージが表示されるので、＜プレーヤーを閉じる＞をクリックします。

5 ミニプレーヤーの ∧ をクリックすると、キューに追加した動画の一覧が表示されます。

ここをクリックすると、通常の動画プレーヤーで表示されます。

ヒント キューを保存する

キューのリストは、再生リストとして保存することができます。リストの左上部の＜保存＞をクリックして、保存先を指定します。詳しくは、Sec.17、18を参照してください。

2 キューの再生順を変更する

1 キューのリストを表示します。
2 移動したい動画のここをクリックして、

3 ドラッグします。

メモ キューの順番を変更する

キューは追加した順に再生されますが、左の操作で変更することが可能です。なお、ミニプレーヤー左上の＜拡大＞🗗 をクリックして、通常の再生画面でリストを表示させることもできます。

4 目的の位置に移動します。

メモ キューを終了する

キューを終了するには、再生画面で＜消去＞をクリックします。ミニプレーヤーの場合は右上の＜閉じる＞をクリックして、確認メッセージで＜プレーヤーを閉じる＞をクリックします。

第2章 動画を視聴しよう

Section 12 ライブ配信の動画を視聴しよう

覚えておきたいキーワード
- ☑ ライブ配信
- ☑ ライブチャンネル
- ☑ リマインダーを設定

YouTubeには、ライブ配信されている動画があります。文字通り生中継している映像で、スポーツやイベントなどのほか、観光地の定点カメラ映像など、世界中からさまざまな動画がライブ配信されています。また、動画配信の通知機能のリマインダーを設定することができます（ログイン時のみ）。

1 ＜ライブ＞からライブ配信を探す

キーワード　ライブ配信

ライブ配信とは、カメラを定点設置して生の映像をそのままYouTubeで配信されている映像です。風景や動物、スポーツの試合など、実際の状況を見ることができます。動画には「ライブ配信中」と表示されています。

1 ガイドを下方向へドラッグして、

2 ＜ライブ＞をクリックすると、

3 ライブ配信の動画一覧が表示されます。

4 見たい動画をクリックすると、

5 視聴できます。

メモ　中継終了の動画

試合やニュースなど中継が終了したものでも、動画として残っています。通常の動画と同様に再生することができます。

2 リマインダーを設定する

1 YouTubeにログインします（P.23参照）。

キーワード　リマインダーを設定

リマインダー（reminder）とは予定を通知してくれる機能で、YouTubeの「リマインダーを設定」はライブ配信を見逃さないためのサービスです。ライブ配信の日時が公開されている動画に表示され、設定をオンにしておくと、通知が表示されます。なお、この機能を利用するには、YouTubeにログインしている必要があります。

2 ＜リマインダーを設定＞をクリックすると、

3 ＜リマインダー：オン＞になります。

4 時間前に通知が届くので、クリックすると表示されます。

Windowsの通知にも届きます。

ヒント　リマインダーの設定を取り消す

リマインダーの設定を取り消すには、＜リマインダー：オン＞をクリックします。

Section 13 自動再生のオン/オフを切り替えよう

覚えておきたいキーワード
☑ 自動再生
☑ 関連動画
☑ 次の動画

初期設定では、自動再生機能がオンに設定されており、動画の再生が終わると、関連動画が順に自動的に再生されます。自動再生のオン/オフを切り替えるには、動画プレーヤーの下部に表示されるツールバーの＜自動再生＞の切り替えスイッチで設定します。

1 自動再生をオフにする

 メモ　動画の自動再生

初期設定では、自動再生機能がオンに設定されています。動画の再生が終わると、関連動画の次の動画が自動的に再生されます。

1 動画を再生して、マウスポインターを合わせます。

2 ＜自動再生＞をクリックすると、

3 自動再生がオフになります。

4 動画の再生が終わると、関連動画のサムネイルが表示されます。

 ヒント　自動再生をオフにする

自動再生をオフに設定すると、ほかの動画を再生した場合でも、自動再生オフの状態が保持されます。

第2章　動画を視聴しよう

Chapter 03

第3章

便利な機能を利用しよう

Section	14	アカウントを取得しよう
	15	YouTubeにログイン／ログアウトしよう
	16	自分用のチャンネルを作成しよう
	17	動画を＜後で見る＞リストに追加しよう
	18	動画を再生リストにまとめよう
	19	再生リストの動画を再生しよう
	20	再生リストを編集しよう
	21	再生リストの再生順を自由に決めよう
	22	動画を共有しよう
	23	動画にコメントを投稿しよう
	24	ライブ配信のチャットに参加しよう
	25	動画に評価を付けよう

Section 14 アカウントを取得しよう

覚えておきたいキーワード
- ☑ Google アカウント
- ☑ ログイン
- ☑ アカウントを作成

動画を視聴するだけであれば、YouTubeにログインしていなくてもかまいませんが、Googleアカウントを作成してログインすると、動画の投稿、再生リストの作成、コメントや評価など、より多くの機能が利用できるようになります。ここでは、Googleアカウントを作成しましょう。

1 Googleアカウントを作成する

メモ　Googleを表示する

Googleのトップページを表示するには、Microsoft Edgeを起動して、Googleのアドレス「https://www.google.co.jp」を入力し、Enterを押します（Sec.02参照）。

1 Googleのトップページを表示して、

2 <ログイン>をクリックします。

ヒント　Googleアカウントでログインする

動画を視聴するときは必要ありませんが、動画の投稿、動画にコメントや評価を付ける、再生リストを利用するなどの場合はログインが必要です。

3 <Googleログイン>画面が表示されるので、

4 <アカウントを作成>をクリックして、

5 <自分用>をクリックします。

メモ　YouTubeからログインする

YouTubeからGoogleアカウントを作成することもできます。Webブラウザのアドレスバーに「https://www.youtube.com」と入力して、画面右上の<ログイン>をクリックすると、<ログイン>画面が表示されます。

第3章　便利な機能を利用しよう

6 <Googleアカウントの作成>画面が表示されるので、姓と名を入力して、

7 ユーザー名を入力します。　　右上の「メモ」参照

> **メモ　ユーザー名**
>
> ユーザー名には任意の名前を入力できますが、半角のアルファベット、数字、ピリオドのみが利用できます。＜Googleアカウントの作成＞画面に表示されている＜選択可能なユーザー名＞から選択することもできます。作成したアカウントは、「ユーザー名@gmail.com」のメールアドレスとして利用できます。

8 任意のパスワードを入力して、

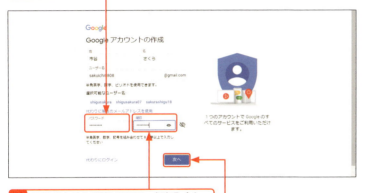

> **メモ　パスワード**
>
> パスワードは、YouTubeにログインしたり、GoogleやGmailにログインするときに必要となります。半角のアルファベット、数字、記号を組み合わせて、8文字以上で入力します。

9 確認のために同じパスワードを入力し、

10 ＜次へ＞をクリックします。

11 ＜Googleへようこそ＞画面が表示されます。

> **メモ　電話番号の確認**
>
> 手順**12**の電話番号は、本人を確認するためのものです。ここで省略してもかまいません。アカウント画面でいつでも登録できます。

12 電話番号を入力します（「メモ」参照）。

45

Section 14 アカウントを取得しよう

 メモ 再設定用のメールアドレス

＜Googleへようこそ＞画面に表示されている＜再設定用のメールアドレス（省略可）＞は、パスワードを忘れた場合などに利用されますが（P.154参照）、入力しなくてもかまいません。なお、再設定用のメールアドレスは、あとから設定することができます。P.155を参照してください。

13 生年月日を入力して、 「メモ」参照

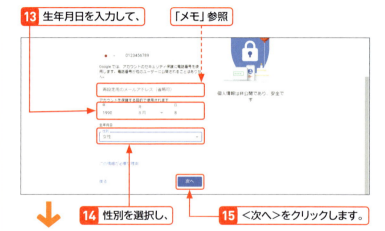

14 性別を選択し、 **15** ＜次へ＞をクリックします。

16 電話番号を入力した場合は、＜電話番号の確認＞画面が表示されます（省略した場合は、手順23へ進みます）。

17 ＜配信＞をクリックすると、

18 指定した電話番号に確認コードが届きます。

19 確認コードを入力して（「ヒント」参照）、

20 ＜確認＞をクリックします。

21 パスワードを保存するかどうかのポップアップ画面が表示されます。

22 いずれかを選択します（ここでは＜なし＞）。

ヒント 確認コードが受け取れない場合

確認コードが受け取れない場合は、＜代わりに音声通話を使用＞をクリックして、音声でコードを受け取ることができます。

第3章 便利な機能を利用しよう

23 <プライバシーポリシーと利用規約>画面が表示されるので、内容を確認します。

24 <同意する>をクリックすると、Googleアカウントが作成されます。

25 Googleにログインされ、アカウントアイコンが表示されます。

メモ Googleにログインする

Googleにログインすると、画面右上に表示されていた<ログイン>がアカウント名のアイコンに変わります。

ヒント ログインするとできること

Googleアカウントを作成してYouTubeにログインすると、次のような機能が利用できるようになります。

・<後で見る>を利用する
・再生リストを作成する
・動画にコメントする
・動画を評価する
・チャンネルに登録する
・再生履歴を記録する
・動画を投稿する
・動画を共有する

Section 14 アカウントを取得しよう

第3章 便利な機能を利用しよう

47

Section 15 YouTubeにログイン／ログアウトしよう

覚えておきたいキーワード
- ☑ ログイン
- ☑ ログアウト
- ☑ アカウントアイコン

YouTubeにログインするには、YouTubeのトップページを表示して、＜ログイン＞をクリックし、メールアドレスとパスワードを入力します。ログインすると、ページの右上にアカウントアイコンが表示されます。ログアウトする場合は、アカウントアイコンをクリックして、＜ログアウト＞をクリックします。

1 YouTubeにログインする

メモ　すでにログインしている場合

Googleにログインすると、自動的にYouTubeにもログインされるようになっています。そのため、Sec.14でログインを行った場合は、右の手順は不要です。

1 YouTubeのトップページを表示して、

2 ＜ログイン＞をクリックします。

3 ＜ログイン＞画面が表示されるので、メールアドレスを入力して、

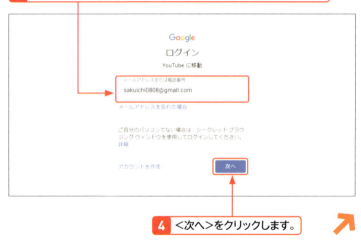

ヒント　メールアドレスの入力

初めてログインする場合は、メールアドレスの入力が必要ですが、2回目以降にログインするときは、手順**3**のメールアドレスの入力は省略されます。これは、前回ログインした際の情報がWebブラウザに残っているためです。

4 ＜次へ＞をクリックします。

5 パスワードを入力して、

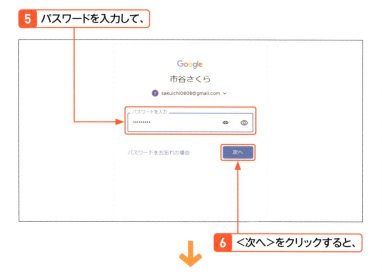

6 ＜次へ＞をクリックすると、

7 YouTubeにログインできます。

メモ ＜アカウントの保護＞画面が表示される

アカウント作成の際に電話番号や再設定用のメールアドレスを入力しなかった場合は、手順**6**のあとに＜アカウントの保護＞画面が表示されます。＜完了＞をクリックすると、YouTubeにログインされます。＜更新＞をクリックすると、予備の電話番号や再設定用のメールアドレスが設定できます。電話番号やメールアドレスは、パスワードを忘れたり、アカウントにアクセスできなくなったりした場合に、Googleから連絡を受け取る際に使用されます。

2 YouTubeからログアウトする

1 アカウントアイコンをクリックして、

2 ＜ログアウト＞をクリックすると、

3 YouTubeからログアウトできます。

メモ YouTubeにログイン／ログアウトする

YouTubeにログインすると、＜ログイン＞と表示されていた部分がアカウントアイコンに変わります。ログアウトすると、表示が＜ログイン＞に変わります。

Section 16 自分用のチャンネルを作成しよう

覚えておきたいキーワード
☑ チャンネルを作成
☑ 自分の動画
☑ チャンネル

YouTube内に自分用の動画や情報を管理するページを作成できます。チャンネルを作成すると、＜自分の動画＞が登録されます。このページに、動画をアップしたり、再生リストなどの情報を表示したりして、ほかのユーザーが視聴することができます。

1 チャンネルを作成する

メモ　チャンネルを作成は1つだけ

チャンネルはアカウントに1つだけ作成できます。チャンネルを作成するには、右の操作を実行します。チャンネル作成後は、アカウントアイコンをクリックすると＜チャンネル＞が表示され、クリックすると、＜自分の動画＞画面が表示されます。

1 アカウントアイコンをクリックして、
2 ＜チャンネルを作成＞をクリックします。
3 はじめて＜チャンネルを作成＞をクリックした場合は、この画面が表示されます。
4 ＜始める＞をクリックします。
5 チャンネルを作成する方法を選ぶ画面が表示されます。
6 ここでは、＜自分の名前を使う＞の＜選択＞をクリックします。

ヒント　チャンネルの種類

チャンネルは自分用と企業などのブランド専用チャンネルを選ぶことができます。ブランド用にする場合は手順6で＜カスタム名を使う＞の＜選択＞をクリックします（Sec.51参照）。

「ヒント」参照

7 チャンネルが作成されました。

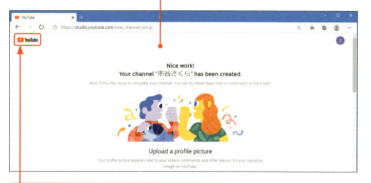

8 ＜YouTube＞のアイコンをクリックして、

9 トップページに戻ります。　　**10** アカウントアイコンをクリックして、

11 ＜チャンネル＞をクリックすると、

12 作成されたチャンネルが表示されます。

Section 16 自分用のチャンネルを作成しよう

メモ　チャンネルの利用方法

＜ホーム＞はチャンネルを訪問したユーザー（視聴者）に表示される画面です。＜チャンネルをカスタマイズ＞で背景アートを設定して見栄えよくすることができます（Sec.45参照）。動画をアップロードすると、＜動画＞＜再生リスト＞＜チャンネル＞＜フリートーク＞＜概要＞のタブが表示されそれぞれ設定した動画や情報が表示されるようになります。
チャンネルの利用と管理方法は、第6章を参照してください。

第3章　便利な機能を利用しよう

51

Section 17 動画を＜後で見る＞リストに追加しよう

覚えておきたいキーワード
- ☑ 後で見る
- ☑ 再生リスト
- ☑ すべて再生

＜後で見る＞は、一度視聴した動画をあとでまた見たいという場合や、気になった動画をあとで見たいという場合に、＜後で見る＞リストに追加しておくことで、いつでも好きなときに見ることができる機能です。追加や削除が自由にできるので、手軽に利用するとよいでしょう。

1 動画の再生画面から追加する

メモ　動画をリストに追加する

＜後で見る＞リストに動画を追加するには、動画の再生画面から追加する方法と、動画の一覧に表示されているサムネイルから追加する方法があります。なお、＜後で見る＞を利用するには、YouTubeにログインしている必要があります。

1 動画の再生画面を表示して、
2 ここをクリックします。

3 ＜後で見る＞をクリックしてオンにします。
4 ここをクリックして画面を閉じます。

5 画面左下に保存メッセージが表示されます。
＜取り消す＞をクリックすると、追加をキャンセルできます。
6 同様にして、後で見る動画を追加します。

ヒント　動画の一覧から追加する

動画の一覧にあるサムネイルにマウスポインターを合わせると、サムネイルの右上に＜後で見る＞アイコンが表示されます。そのアイコンをクリックしても、＜後で見る＞リストに追加されます。

後で見る

2 ＜後で見る＞リストで動画を再生する

1 ガイドの＜後で見る＞を
クリックすると、

2 ＜後で見る＞に追加した
動画が確認できます。

メモ ＜後で見る＞が表示されていない

パソコンのサイズによっては、ガイドが非表示になっている場合があります。その場合は、画面左上のメニューアイコン≡をクリックすると表示されます。

3 ＜すべて再生＞をクリックすると、

4 動画が順に再生されます。

ヒント 順番を入れ替える

＜すべて再生＞をクリックするとリスト順に再生されます。この順番を変更したい場合は、最初または最後の位置にしたい動画の右側の ⋮ をクリックして、＜一番上に移動＞または＜一番下に移動＞をクリックします（「ステップアップ」の画面参照）。

ステップアップ ＜後で見る＞から動画を削除する

＜後で見る＞リストから動画を削除するには、削除する動画にマウスポインターを合わせて表示される ⋮ をクリックして、＜［後で見る］から削除＞をクリックします。

Section 18 動画を再生リストにまとめよう

覚えておきたいキーワード
- ☑ 再生リスト
- ☑ 新しいプレイリストを作成
- ☑ プライバシー設定

再生リスト（プレイリスト）とは自分用の動画をまとめたもので、趣味に関する動画や好きなアーティストの動画などテーマごとに分類して名前を付けて保存しておくリストです。見たいときにいつでも再生することができます。また、再生リストをほかの人と共有することもできます。

1 再生リストを作成する

メモ　再生リストを作成する

再生リスト（プレイリスト）は、ここで解説するように自分で作成するものと、「後で見る」や「高く評価した動画」などのYouTubeが自動的に作成するものがあります。なお、再生リストを作成するには、YouTubeにログインしている必要があります。

第3章 便利な機能を利用しよう

54

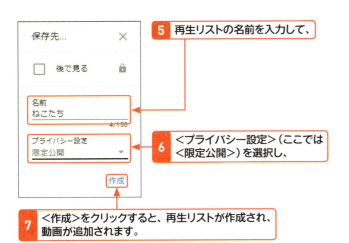

5 再生リストの名前を入力して、

6 ＜プライバシー設定＞（ここでは＜限定公開＞）を選択し、

7 ＜作成＞をクリックすると、再生リストが作成され、動画が追加されます。

> **ヒント プライバシー設定**
>
> プライバシー設定は、＜公開＞＜限定公開＞＜非公開＞から選択できます。非公開は自分だけが、公開は誰もが閲覧できます。限定公開は再生リストのURLを知っているユーザーだけが閲覧できます。この設定は、あとから変更することもできます（Sec.20参照）。

2 作成した再生リストに動画を追加する

1 再生リストに追加したい動画を表示して、

 2 ここをクリックします。

3 作成した再生リスト（ここでは「ねこたち」）をクリックしてオンにすると、

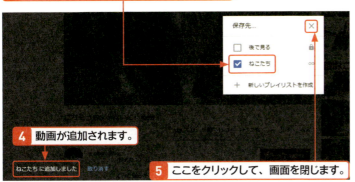

4 動画が追加されます。

 5 ここをクリックして、画面を閉じます。

> **メモ 再生リストに動画を追加する**
>
> 作成した再生リストに、複数の動画を追加していきます。動画を追加するには、≡+ をクリックして、追加する再生リスト名をクリックしてオンにします。

> **ヒント 再生リストの表示**
>
> 作成した再生リストは、YouTubeのガイドの＜後で見る＞の下に表示されます（Sec.19参照）。
>
>
>
> 作成した再生リストが表示されます。

Section 18 動画を再生リストにまとめよう

第3章 便利な機能を利用しよう

55

Section 19 再生リストの動画を再生しよう

覚えておきたいキーワード
- 再生リスト
- すべて再生
- ループ再生

作成した再生リストを表示するには、ガイドにある作成した再生リストの名前をクリックします。再生リストの画面が表示され、リストに追加されている動画が一覧で表示されます。追加された動画はまとめて再生したり、個別に再生したりすることができます。

1 再生リストを表示する

ヒント ガイドが表示されていない

パソコンのサイズによっては、ガイドが非表示になっている場合があります。ガイドが非表示になっている場合は、画面左上のメニューアイコン≡をクリックすると表示されます。

ヒント 再生リストが表示されていない

作成した再生リストが表示されていない場合は、画面左上の<最新の情報に更新>をクリックすると表示されます。

最新の情報に更新

メモ 再生リストの動画を削除する

再生リストの動画を削除するには、動画の右側の をクリックして、<[再生リスト名]から削除>をクリックします。

1 ガイドに表示された再生リストの名前をクリックすると、

2 再生リストの詳細画面が表示され、追加されている動画が一覧で表示されます。

2 動画を再生する

1 <すべて再生>をクリックすると、

ヒント 個別に再生する

ここでは、追加された動画をすべて再生していますが、1つずつ再生したい場合は、再生したい動画をクリックします。

ヒント 再生方法を変更する

再生リストは、<再生リストをループ再生> をクリックすると繰り返して再生できます。また、通常は上から順に再生されますが、<再生リストをシャッフル> をクリックするとランダムな順番で再生することもできます。

再生リストをループ再生

再生リストをシャッフル

2 動画が再生されます。

再生リストに追加されている動画の一覧がここに表示されます。

3 動画の再生が終了すると、繰り返し再生を指定しなければ関連動画の次の動画が表示されます（「メモ」参照）。

メモ 再生終了後の動画再生

再生リストの再生が終了すると、<自動再生>がオンの場合（P.39参照）、関連動画の再生が開始します。オフの場合、動画リスト画面が表示されます。

Section 19 再生リストの動画を再生しよう

第3章 便利な機能を利用しよう

57

Section 20 再生リストを編集しよう

覚えておきたいキーワード
- ☑ 再生リストの編集
- ☑ 再生リストのプライバシー
- ☑ 再生リストの削除

再生リストを作成した際に設定した名前や説明、プライバシーの設定はあとから編集できます。名前や説明は再生リスト画面で、プライバシー設定は再生リストの設定画面で行います。また、作成した再生リストを削除する方法も紹介します。

1 再生リストの名前と説明を編集する

ヒント 再生リストの名前を変更する

再生リストの名前は、再生リストを作成するときに入力したものです。名前をクリックすると、テキストボックスが表示されて、編集ができるようになります。

ヒント 再生リストに説明を追加する

再生リストには、再生リストに関するかんたんな説明を追加することができます。＜説明を編集＞をクリックして、必要な文章を入力します。

2 再生リストのプライバシー設定を変更する

Section 20 再生リストを編集しよう

1 再生リストをクリックして、再生リスト画面を表示します。

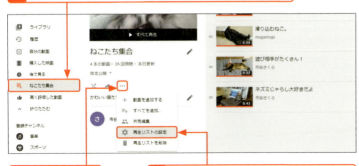

2 ここをクリックします。

3 <再生リストの設定>をクリックします。

4 <詳細設定>をクリックして、

5 ここをクリックして、

6 プライバシーの種類をクリックし（ここでは<公開>）、

7 <保存>をクリックします。

ヒント プライバシーの設定

プライバシー設定は、再生リストの編集画面でも変更できます。

1 ここをクリックすると、

2 変更できます。

ヒント 再生リストを削除する

再生リスト自体を削除するには、再生リストの … をクリックして、<再生リストを削除>をクリックします。

ステップアップ <再生リストの設定>画面で設定する

<再生リストの設定>画面ではプライバシーの設定や並べ替え（Sec.21参照）のほか、再生リストに動画を自動的に追加するルールを設定したり、共同編集者を追加したりできます。

第3章 便利な機能を利用しよう

59

Section 21 再生リストの再生順を自由に決めよう

覚えておきたいキーワード
- ☑ 再生リスト
- ☑ 並べ替え
- ☑ 再生順

作成した再生リストの動画は、新しい順に再生されますが、再生順を並べ替えることができます。動画一覧の＜並べ替え＞をクリックします。並べ替えの種類には、追加日の新しい順／古い順、公開日の新しい順／古い順、人気順があります。

1 再生順を並べ替える

メモ　再生リストの並べ替え

再生リストの動画は、追加した新しい順で再生されます。再生順を変更するには、＜並べ替え＞で指定できます。

1. 再生リストをクリックして
2. 再生リスト画面を表示します。

3. ＜並べ替え＞をクリックします。

ヒント　ガイド内の再生リストを並べ替える

複数作成した再生リストは、作成した順でガイドに表示されます。表示順を変更したい場合は、ガイドの＜ライブラリ＞をクリックして、＜再生リスト＞の…をクリックし、＜新しい順＞あるいは＜名前順（昇順）＞をクリックして選択します。

4. 並べ替えの種類が表示されるので、

5. 並べ替えたい項目（ここでは＜公開日（古い順）＞）をクリックします。

6 再生リストの動画の再生順が変更します。

2 再生順を手動で並べ替える

1 再生順を変更したい動画の ≡ にマウスポインターを合わせ、🖑の形になったら、

💡ヒント 順番を先頭か最後に移動する

再生順を変更したい動画の右端の＜その他＞ ⋮ をクリックして、＜一番上に移動＞あるいは＜一番下に移動＞をクリックすると、再生順を変更できます。

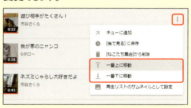

2 移動したい位置までドラッグします。

3 再生順が変更されます。

Section 22 動画を共有しよう

覚えておきたいキーワード
- ☑ 共有
- ☑ メール
- ☑ 開始位置

お気に入りの動画や自分が作成した再生リストを友人や家族と共有することができます。共有するには、メールを送信する、TwitterやFacebookなどのSNSを利用する、埋め込みコードを自分のブログなどに埋め込むの3つの方法があります。開始位置を指定して共有することもできます。

1 再生リストを共有する

 メモ 共有できない動画

動画の公開設定を「非公開」にしている場合は、共有できません。送られたURLを相手が開いても、動画は再生されません。公開設定は、「公開」または「限定公開」にします（P.59参照）。

 メモ メールアプリの選択

メールアプリが複数インストールしている場合など、手順6のあとでアプリの選択画面が表示される場合があります。使用するメールアプリをクリックして、<OK>をクリックします。

ヒント 再生リストのチャンネル画面の場合

再生リストのチャンネル画面（P.59参照）を表示している場合は、<共有>をクリックすると共有方法を選択できます。<共有>タブのツールから選択するか、<メール>タブでメールアドレスを入力して送信します。

1 再生リストをクリックして、
2 <共有>をクリックします。
3 共有方法の選択画面が表示されるので、
4 ここでは<メール>をクリックします。
5 メール作成画面が表示されて、リンクのURLが自動的に入力されています。
6 共有相手のメールアドレスや件名などを入力して、
7 <送信>をクリックします。

2 動画の再生画面から共有する

1 共有したい動画の再生画面を表示します。

2 ＜共有＞をクリックすると、

3 ＜共有＞画面が表示されるので、共有方法を選択します。ここでは、＜コピー＞をクリックします。

4 メール作成画面に動画のURLがコピーされるので、共有したいユーザーにコピーしたURLを連絡します。

メモ　動画を共有する

自分が投稿してプライバシー設定を「限定公開」に設定した動画を共有する場合も（P.98参照）、左の手順で共有することができます。

ヒント　動画を埋め込む

＜共有＞画面で＜埋め込む＞をクリックすると、動画をブログなどに埋め込むためのコードが表示されます。コードをコピーして自分のブログなどに貼り付けると、動画を埋め込むことができます（P.153参照）。

ステップアップ　動画の開始位置を指定する

動画の開始位置を指定して共有することもできます。＜共有＞画面で＜開始位置＞をクリックしてオンにし、開始位置を指定してから共有します。

1 ＜開始位置＞をクリックしてオンにし、　**2** 開始位置を指定します。

Section 23 動画にコメントを投稿しよう

覚えておきたいキーワード
- ☑ コメント
- ☑ コメントの投稿
- ☑ コメントの編集

公開や限定公開された動画には、コメントを投稿することができます。コメントは動画に対する感想や関連する内容などで、誹謗中傷する投稿は避けましょう。投稿したコメントは、動画の下に順に表示されます。コメントをあとから編集して投稿し直したり、削除したりすることもできます。

1 動画にコメントを投稿する

 メモ　コメントを付ける

動画にコメントを付けるには、YouTubeにログインしている必要があります。

ヒント　コメントできる動画

コメントを投稿できるのは、公開動画と限定公開動画で、コメントが許可されているものに限られます。非公開動画にはコメントを投稿することはできません。

メモ　投稿したコメント

投稿したコメントは、動画の下に表示されます。動画を視聴できるユーザーは誰でも読むことができます。

1 動画の再生画面を表示します。
2 ＜公開コメントを入力＞をクリックして、
3 文章を入力し、
4 ＜コメント＞をクリックすると、
5 コメントが投稿されます。

2 投稿済みのコメントを編集する

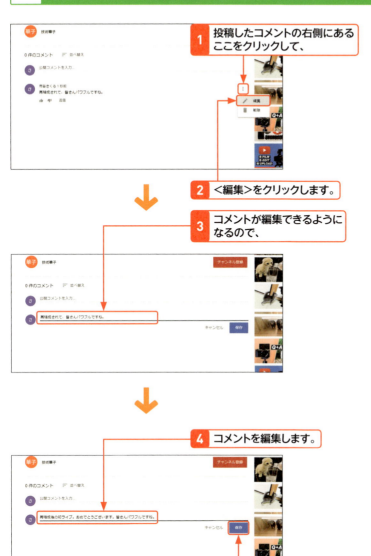

ヒント　投稿したコメントを削除する

投稿したコメントを削除するには、手順2で＜削除＞をクリックします。

ヒント　コメントの編集を中止する

コメントの編集を中止する場合は、手順5で＜キャンセル＞をクリックします。

メモ　コメントに返信する

投稿されたコメントに対して、コメントを返信することもできます。詳しくは、P.103を参照してください。

Section 23　動画にコメントを投稿しよう

第3章　便利な機能を利用しよう

65

Section 24 ライブ配信のチャットに参加しよう

覚えておきたいキーワード
- ライブ配信
- ライブチャット
- アーカイブ

YouTubeライブ配信は生放送のことで、ライブチャットはライブ配信の動画にコメントを投稿することです。ライブチャットは、リアルタイムでライブ配信画面のチャット欄に即表示されます。動画の投稿者とライブの視聴者が同時に見られるので、視聴者参加型の動画となります。

1 ライブチャットに参加する

メモ ライブ配信とライブチャット

ライブ配信はニュース中継や拠点カメラのライブ映像、スポーツなどの実況中継など、生中継される動画です。その映像に、リアルタイムでコメントを投稿してチャット欄に表示するのがライブチャット機能です。ライブチャットを利用するにはYouTubeアカウント（チャンネル）が必要です。

1 YouTubeトップページを表示して、

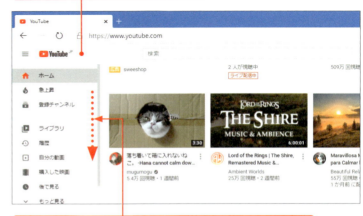

2 ガイドのスクロールバーをドラッグして下方向を表示します。

3 <YOUTUBEの他のサービス>の<ライブ>をクリックすると、

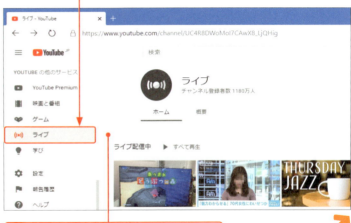

4 ライブ配信中の動画一覧が表示されます。

メモ ライブチャットで注意すること

ライブチャットで気をつけることは、YouTubeのコミュニティガイドラインを確認して遵守し、誹謗中傷や下品なコメントは書かないことです。ます。投稿者や視聴者に見られること、ライブ配信が終了しても多くの人に見られることを意識してください。また、連続してコメントを投稿しないこともルールのひとつです。

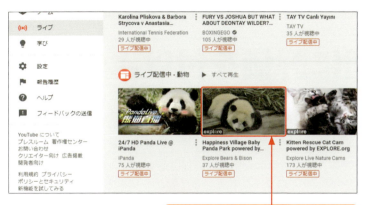

Section 24 ライブ配信のチャットに参加しよう

 メモ ライブ配信のアーカイブ

ライブ配信の終了後、投稿者が削除しない限り動画やチャットの内容はアーカイブに残ります。ライブ配信が終了した動画は、自動的に通常の動画一覧に表示されるので、生配信を見逃した人でも見られるようになります。

5 <ライブ配信中>と表示されている動画をクリックします。

6 ライブ中継されます。　　7 コメントが書き込まれます。

8 <メッセージを入力>欄をクリックして、

9 コメントを入力します。

10 ここをクリックして、投稿します。

第3章 便利な機能を利用しよう

 ヒント ライブチャットができない場合

ライブチャットができない原因としては、古いYouTubeアプリ、通信環境などがあります。以下のような対処をするとよいでしょう。
古いYouTubeは最新のアプリにアップデートすれば、チャットができるようになります。また、YouTubeは動画を扱うため通信量が大きく、ライブ配信はさらに通信への負荷がかかります。インターネットの通信環境を整えましょう。
なお、注目されるライブ配信など多くの視聴者のアクセスが集中すると、コメントを投稿できなくなったり、動画配信が途切れてしまったりする場合が稀にあります。

67

Section 25 動画に評価を付けよう

覚えておきたいキーワード
- ☑ 評価
- ☑ 高く評価
- ☑ 低く評価

動画に対して評価を付けることで意見を表明します。評価は、動画の下にある＜高く評価＞＜低く評価＞のアイコンをクリックします。高く評価した動画は＜ライブラリ＞内の＜高く評価した動画＞に保存されます。なお、動画に評価を付けるには、YouTubeにログインしている必要があります。

1 動画を評価する

メモ　高く評価した動画

高く評価した動画は、＜ライブラリ＞の＜高く評価した動画＞で確認することができます。＜高く評価した動画＞に追加した動画は、いつでも再生することができます。

1 動画の再生画面を表示して、

2 ＜高く評価＞（または＜低く評価＞）をクリックします。

3 ＜高く評価＞が付きました。評価を取り消したい場合は、同じアイコンをもう一度クリックします。

ステップアップ　高く評価した動画を取り消す

高く評価した動画をあとから取り消すには、手順**4**の＜高く評価した動画＞画面を表示して、取り消したい動画の右端の をクリックし、＜[高く評価した動画]から削除＞をクリックします。低く評価した動画を取り消す場合は、動画を再生して、アイコンをクリックする必要があります。

4 高く評価した動画は、＜ライブラリ＞の＜高く評価した動画＞に追加されます。クリックすると、

5 高く評価した動画が表示されます。

Chapter 04

第4章

動画を効率的に探そう

Section	26	複数のキーワードで検索しよう
	27	フィルタで絞り込みを行おう
	28	チャンネルから動画を探そう
	29	気に入ったチャンネルを登録しよう
	30	登録したチャンネルを管理しよう
	31	興味のない動画を非表示にしよう
	32	不適切な動画を非表示にしよう
	33	再生履歴から動画を探そう
	34	検索履歴から動画を探そう
	35	人気のある動画を探そう

Section 26 複数のキーワードで検索しよう

覚えておきたいキーワード
- ☑ 検索ボックス
- ☑ キーワード
- ☑ 検索演算子

YouTubeのトップページや動画の再生画面には検索ボックスが用意されています。検索ボックスにキーワードを入力して検索すると、視聴したい動画をかんたんに探すことができます。検索結果が多いときは、キーワードをスペースで挟んで入力すると、検索結果を絞り込むことができます。

1 キーワードを複数指定する

メモ　視聴したい動画を検索する

YouTubeに公開されている動画の中から視聴したい動画を探すには、検索ボックスを利用します。単にキーワードを入力するだけでなく、検索演算子を利用して検索することもできます（P.71の「ステップアップ」参照）。

1. YouTubeのトップページを表示して、検索ボックスにキーワードを入力します。
2. Enter を押すと、
3. キーワードに関連した動画が検索されます。
4. スペースを挿入して、
5. さらにキーワードを入力し、
6. Enter を押します。

第4章 動画を効率的に探そう

70

7 検索結果が絞り込まれます。

> **注意** 動画のダウンロードは原則禁止
>
> YouTube上の動画には著作権が存在します。個人で楽しむのは問題ありませんが、ダウンロードしたものを配布したり、著作権を侵害した動画（テレビ番組やアニメなどの動画）をダウンロードすることは、著作権法違反になりますので、注意が必要です。

8 目的の動画をクリックすると、

9 動画が再生されます。

ステップアップ　検索演算子を利用して検索する

Webブラウザ上で情報を検索するのと同様、YouTubeでも検索演算子を利用することができます。ここで紹介したように、複数のキーワードをスペースで区切って入力する方法を「AND検索」といいます。スペースの代わりに「AND」を入力しても同様です。「AND」は大文字の半角で入力し、前後に半角スペースを入力します。
また、複数のキーワードのうち、1つ以上のキーワードを含む情報を検索する場合は「OR検索」を、検索結果から特定のキーワードを除いて検索する場合は「マイナス検索」を使用できます。マイナス検索は、キーワードを入力して、スペースと「-」（半角のマイナス）を入力し、除外したいキーワードを入力します。

Section 27 フィルタで絞り込みを行おう

覚えておきたいキーワード
- ☑ フィルタ
- ☑ 絞り込み
- ☑ 並べ替え

YouTubeでキーワードを使って動画を検索する際に、フィルタを使用すると、アップロード日や動画のタイプ、再生時間、特徴などの検索条件で絞り込むことができます。また、検索結果をアップロード日や視聴回数、評価などで並べ替えることもできます。

1 フィルタで条件を指定する

メモ フィルタの条件

フィルタで設定できる条件は、「アップロード日」「タイプ」「時間」「特徴」の4種類です。

1 検索ボックスにキーワードを入力して動画を検索し、

2 <フィルタ>をクリックすると、

3 フィルタの設定画面が表示されます。

4 フィルタの条件(ここでは<アップロード日>の<今週>)をクリックします。

第4章 動画を効率的に探そう

5 今週アップロードされた動画だけが絞り込まれて表示されます。

> **ヒント** フィルタを解除する
>
> 設定したフィルタを解除するには、フィルタの設定画面を表示して、設定した条件を再度クリックします。

2 フィルタで検索結果を並べ替える

1 検索ボックスにキーワードを入力して動画を検索し、

2 <フィルタ>をクリックします。

> **メモ** 並べ替えの条件
>
> 並べ替えに設定できる条件は、「関連度順」「アップロード日」「視聴回数」「評価」の4種類です。

3 <並べ替え>から並べ替える条件（ここでは<視聴回数>）をクリックすると、

4 検索された動画が視聴回数順に並べ替えられます。

Section 27 フィルタで絞り込みを行おう

第4章 動画を効率的に探そう

73

Section 28 チャンネルから動画を探そう

覚えておきたいキーワード
- ☑ チャンネル
- ☑ 登録チャンネル
- ☑ カテゴリ

チャンネルとは、同じ投稿者からの動画の集まりをいいます。ガイドの＜登録チャンネル＞をクリックすると、カテゴリ別に分類された人気チャンネルの一覧が表示されます。また、キーワードの検索結果からフィルタを使用してチャンネルを検索することもできます。

1 登録チャンネルの一覧を表示する

ヒント ＜登録チャンネル＞が表示されていない

ガイドが表示されていない場合は、画面左上のメニューアイコン≡をクリックすると表示されます。

1 ガイドの＜登録チャンネル＞をクリックすると、

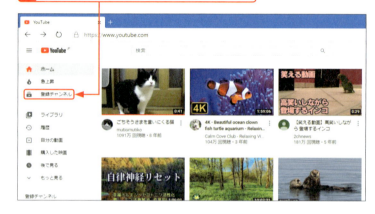

ヒント すでにチャンネルを登録している場合

すでにチャンネルを登録している場合は、下段の＜登録チャンネル＞にある＜チャンネル一覧＞をクリックすると（P.77の「ヒント」参照）、手順の画面を表示することができます。

2 チャンネルがカテゴリ別に一覧で表示されます。

メモ Best of YouTube

チャンネル一覧の画面に表示されている＜Best of YouTube＞は、YouTubeによって自動生成されたチャンネルで、人気のある動画がまとめられています。

3 ここを下へドラッグします。

第4章 動画を効率的に探そう

4 隠れているカテゴリが表示されます。

メモ ＜登録チャンネル＞のカテゴリ

＜登録チャンネル＞の下に表示されている「音楽」「スポーツ」「ゲーム」「映画と番組」から目的のカテゴリをクリックすると、そのカテゴリ内のチャンネルが一覧で表示されます。

5 チャンネルをクリックすると、

6 チャンネル内の動画が一覧表示されます。

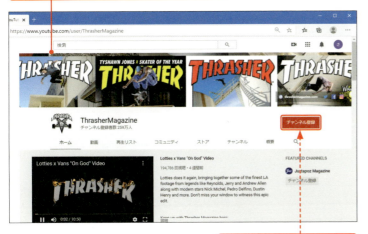

カテゴリをチャンネルとして登録することもできます。

メモ フィルタで検索する

キーワードの検索結果からフィルタを使用してチャンネルを検索することもできます。動画の検索結果画面で＜フィルタ＞をクリックします（P.72参照）。フィルタの設定画面が表示されるので、＜タイプ＞の＜チャンネル＞をクリックすると、検索したキーワードがタイトルや説明の中に記載されているチャンネルの一覧が表示されます。

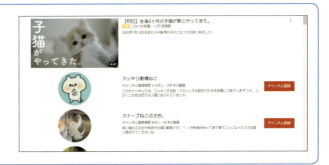

Section 29 気に入ったチャンネルを登録しよう

覚えておきたいキーワード
☑ チャンネル登録
☑ 新着動画に関する通知
☑ チャンネル一覧

気に入ったチャンネルを登録すると、そのチャンネルで公開された新しい動画が登録チャンネル画面に表示されるようになります。また、新しい動画が公開されたときに通知を受け取ることもできます。チャンネルを登録するには、動画を再生して登録するか、チャンネル一覧を表示して登録します。

1 動画を視聴中に登録する

ヒント　通知をオン／オフにする

＜登録済み＞の右に表示されているベルのアイコンをクリックすると、登録したチャンネルに新しい動画が公開されたときに通知を受け取ることができます。通知をオフにするには、もう一度クリックします。

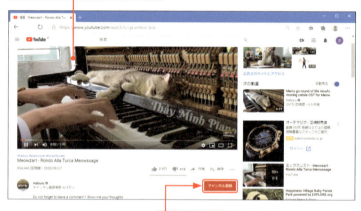

1 動画の再生画面を表示して、

2 ＜チャンネル登録＞をクリックします。

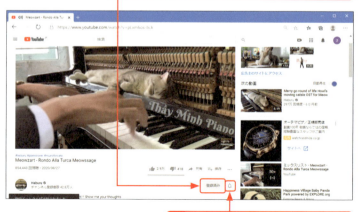

3 表示が＜登録済み＞に変わり、動画の投稿元がチャンネルとして登録されます。

4 ここをクリックすると、新着動画に関する通知が届きます。

メモ　おすすめのチャンネル

動画の再生画面でチャンネルを登録すると、おすすめのチャンネルが動画プレーヤーの下に表示される場合があります。

2 チャンネル一覧で登録する

1 ＜登録チャンネル＞（もしくは＜チャンネル一覧＞）を
クリックして、

2 登録したいチャンネルを探して、＜チャンネル登録＞を
クリックすると、

3 表示が＜登録済み＞に変わり、動画の投稿元が
チャンネルとして登録されます。

Section 29 気に入ったチャンネルを登録しよう

ヒント チャンネルを登録すると…

チャンネルを登録すると、ガイドの＜登録チャンネル＞の下に登録したチャンネル名が表示されます。また、チャンネルのカテゴリ一覧が＜チャンネル一覧＞という表示に変わります。

メモ 登録したチャンネルの確認

登録したチャンネルは、ガイド下の＜登録チャンネル＞内に表示されます。あるいはガイド上の＜登録チャンネル＞をクリックして、画面右上の＜管理＞をクリックすると、管理画面に登録したチャンネルが一覧で表示されます。

第4章 動画を効率的に探そう

ステップアップ 登録後に通知を設定する

チャンネルを登録したあとで、通知のオン／オフを切り替えることもできます。切り替える場合は、登録したチャンネルをクリックして、＜登録済み＞横のベルのアイコンをクリックします。
あるいは、＜登録チャンネル＞の管理画面（上記「メモ」参照）で、表示されているベルのアイコンをクリックします。

77

Section 30 登録したチャンネルを管理しよう

覚えておきたいキーワード
- ☑ 登録チャンネル
- ☑ 登録済み
- ☑ チャンネル登録を解除

チャンネルに登録すると、登録したすべてのチャンネルで公開されている動画や新しく公開された動画が登録チャンネル画面にまとめて表示されます。また、ガイド下の＜登録チャンネル＞には、登録しているチャンネルが個別に表示されます。登録したチャンネルはいつでも解除することができます。

1 登録したチャンネルを表示する

メモ　チャンネルに登録する

チャンネルに登録すると、新しい動画が＜登録チャンネル＞画面に表示されます。また、＜ホーム＞画面にも登録チャンネルの動画が表示されます。

1 ガイドの＜登録チャンネル＞をクリックすると、

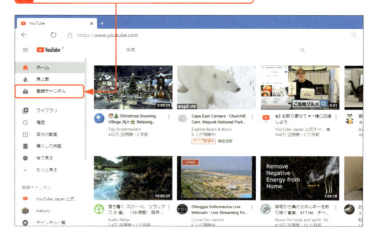

2 登録したすべてのチャンネルで公開されている動画が新しいものから順に一覧で表示されます。

＜管理＞をクリックすると、登録したチャンネルが一覧で表示されます。

ヒント　一覧の表示を変える

登録チャンネルの一覧は、初期設定ではグリッド表示になっていますが、リスト表示に変更することもできます。画面の右上にあるアイコンで切り替えます。

グリッド　リスト

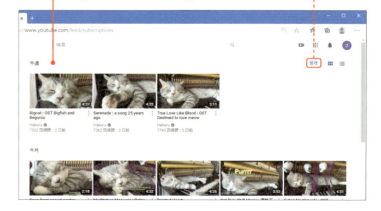

2 チャンネル登録を解除する

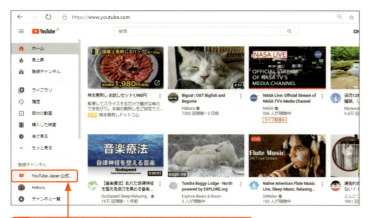

ヒント 登録チャンネルの一覧から解除する

チャンネルの登録解除は、登録チャンネルの管理画面でも操作できます。P.78の＜登録チャンネル＞画面の＜管理＞をクリックして、登録されているチャンネル一覧を表示し、手順❷以降と同様に行います。

1 登録を解除したいチャンネル名をクリックして、

2 ＜登録済み＞をクリックします。

3 確認の画面が表示されるので、＜登録解除＞をクリックすると、

4 チャンネルの登録が解除されます。

5 この一覧からも削除されます。

Section 31 興味のない動画を非表示にしよう

覚えておきたいキーワード
- ☑ 興味なし
- ☑ 動画の非表示
- ☑ チャンネル

YouTubeの先頭ページには、ユーザー情報をもとに興味を持ちそうな動画が表示されます。そのため、まったく興味も関心もない動画が入っている場合もあります。<興味なし>を指定して動画を非表示にできます。また、チャンネル自体を表示させないこともできます。

1 動画を非表示にする

メモ 興味なし

先頭ページの一覧は、検索や閲覧履歴、ユーザー情報などから興味がありそうだと判断された動画が自動的に表示されています。興味がない動画や見たくない動画の場合は、右の操作で非表示にできます。ただし、非表示にした動画や関連する動画を閲覧した場合は、再度表示される可能性はあります。

1 <ホーム>をクリックして、動画を表示させます。
2 非表示にしたい動画のここをクリックして、
3 <興味なし>をクリックします。

4 動画が非表示になります。
5 <理由を教えてください>をクリックします(任意)。

第4章 動画を効率的に探そう

80

6 当てはまる理由をクリックしてオンにし、

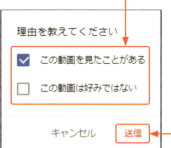

7 <送信>をクリックします。

メモ 非表示にした理由

手順**6**の<理由を教えてください>に回答するのは任意ですが、意思表示することで、<あなたにおすすめ>に表示される動画の精度が上がります。

2 チャンネルを非表示にする

1 非表示にしたい動画のここをクリックして、

2 <チャンネルをおすすめに表示しない>をクリックします。

3 チャンネルが非表示になります。

メモ チャンネルの非表示

チャンネル自体を非表示にする場合は、左の操作を行います。ただし、そのチャンネルに関連する動画を閲覧した場合は、再度表示される可能性はあります。

ステップアップ チャンネル単位でブロックする

チャンネルを確実に非表示にしたい場合は、チャンネルのユーザーをブロックします。一覧から目的のチャンネル名をクリックして、チャンネルページにアクセスします。<概要>タブの 🚩 をクリックして、<ユーザーをブロック>をクリックします。

Section 32 不適切な動画を非表示にしよう

覚えておきたいキーワード
- ☑ 制限付きモード
- ☑ ロック
- ☑ アカウントアイコン

YouTubeでは、見たくない動画あるいは自分のパソコンを利用する家族やほかの人に見せたくない成人向けの動画などの表示を防ぐ制限付きモード機能があります。この設定は、特定のWebブラウザや端末に対して適用されます。また、ほかの人が変更できないようにロックをかけることもできます。

1 制限付きモードを有効にする

🔍 キーワード　制限付きモード

制限付きモードは、成人向けの可能性のある動画が表示されないようにするための機能です。オンにすると、動画のタイトルや説明文、コミュニケーションガイドラインによる審査、不適切の報告（P.156のQ.18参照）、年齢制限などの情報から成人向けの可能性のある動画と特定されたものが除外されるようになります。

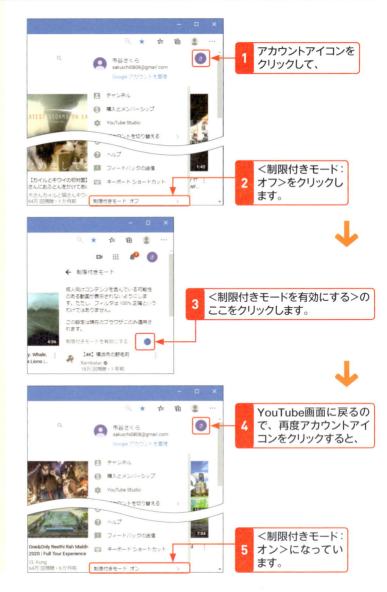

1. アカウントアイコンをクリックして、
2. ＜制限付きモード：オフ＞をクリックします。
3. ＜制限付きモードを有効にする＞のここをクリックします。
4. YouTube画面に戻るので、再度アカウントアイコンをクリックすると、
5. ＜制限付きモード：オン＞になっています。

メモ　制限付きモードの設定

制限付きモードの設定は、使用している特定のWebブラウザや端末に対して適応されます。

2 制限付きモードにロックをかける

1 アカウントの設定画面を表示します（「メモ」参照）。

2 ＜チャンネルを追加または管理する＞をクリックします。

3 ＜制限付きモード：オン＞をクリックすると、

4 制限付きモードのオプション画面が表示されるので、

5 ＜このブラウザの期限付きモードをロック＞をクリックし、

6 ＜保存＞をクリックします。

Section 32 不適切な動画を非表示にしよう

 アカウントの設定画面を表示する

アカウントアイコンをクリックして＜設定＞をクリックするか、ガイドの下方にある＜設定＞をクリックすると、アカウントの設定画面を表示できます。

 ヒント 制限付きモードのロック

ロックをかけるには、左の方法のほかに、アカウントアイコンをクリックして、＜制限付きモード：オン＞をクリックし、＜このブラウザの制限付きモードをロック＞をクリックします。パスワードを入力すると、ロックがかかります。

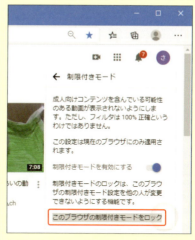

 ヒント 制限付きモードやロックを解除する

アカウントアイコンをクリックして、＜制限付きモード：オン＞をクリックし、＜制限付きモードを有効にする＞をクリックしてオフにするとロックが解除されます。

第4章 動画を効率的に探そう

83

Section 33 再生履歴から動画を探そう

覚えておきたいキーワード
- ☑ 再生履歴
- ☑ 再生履歴の検索
- ☑ 再生履歴の一時停止

YouTubeにログインした状態で視聴した動画は、再生履歴として自動的に記録されます。過去に再生した動画をもう一度見たい場合などに履歴を利用すると、探す手間が省けて便利です。また、再生履歴を削除したり、履歴の記録を一時的に停止したりすることもできます。

1 ＜再生履歴＞を表示する

メモ　再生履歴

再生履歴は、YouTubeにログインした状態で視聴した動画が記録されます。再生履歴はトップページに表示されるおすすめの動画にも反映されます。

1 ガイドの＜履歴＞をクリックすると、

2 過去に再生した動画の一覧が表示されます。

「ヒント」参照

ヒント　再生履歴が表示されない

ガイドの＜履歴＞をクリックすると、通常は＜再生履歴＞が表示されますが、表示されていない場合は、画面右側に表示されている＜履歴タイプ＞の＜再生履歴＞をクリックしてオンにします。

2 再生履歴を検索する

1 ＜再生履歴を検索します＞をクリックして、

2 検索したい動画に関するキーワードを入力します。

3 Enterを押すと、

4 キーワードに一致する動画が検索されます。

ヒント 再生履歴を削除する

削除したい動画にマウスポインターを合わせると表示される×をクリックすると、履歴を個別に削除することができます。また、画面右側に表示されている＜すべての再生履歴を削除＞をクリックして、確認メッセージで＜再生履歴を削除＞をクリックすると、すべての再生履歴が削除されます。

個別の再生履歴を削除します。　　すべての再生履歴を削除します。

ステップアップ 再生履歴の記録を一時停止する／再開する

再生履歴を記録させたくない場合は、一時的に停止させることができます。履歴画面の右側に表示されている＜再生履歴を保存しない＞をクリックして、確認メッセージで＜一時停止＞をクリックします。記録を再開したい場合は、＜再生履歴を有効にする＞をクリックして、確認メッセージで＜オンにする＞をクリックします。

一時停止します。　　再開します。

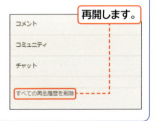

Section 34 検索履歴から動画を探そう

覚えておきたいキーワード
- ☑ 検索履歴
- ☑ 検索履歴から削除
- ☑ 検索履歴の一時停止

YouTubeにログインした状態で検索した動画は、検索履歴として自動的に記録されます。過去に検索した動画をもう一度探す場合などに履歴を利用すると、手間が省けて便利です。また、検索履歴を削除したり、履歴の記録を一時停止したりすることもできます。

1 ＜検索履歴＞を表示する

メモ　検索履歴

検索履歴は、YouTubeにログインした状態で検索したキーワードが記録されます。検索履歴はトップページに表示される＜あなたへのおすすめ＞動画にも反映されます。

1 ガイドの＜履歴＞をクリックします。

2 ＜検索履歴＞をクリックしてオンにすると、

3 過去に検索した検索キーワードの一覧が表示されます。

4 検索キーワード（ここでは「子猫」）をクリックします。

5 検索結果が表示されます。

2 検索履歴を削除する

検索履歴を個別に削除する

1 削除したい履歴の右側に表示されている＜[検索履歴]から削除＞をクリックすると、

2 履歴が個別に削除されます。

検索履歴をまとめて削除する

1 ＜すべての検索履歴を削除＞をクリックして、

2 ＜検索履歴を削除＞をクリックすると、すべての検索履歴が削除されます。

Section 34 検索履歴から動画を探そう

メモ 検索履歴の削除

検索履歴を削除すると、削除した検索内容は、＜あなたへのおすすめ＞動画一覧には反映されなくなります。また、検索ボックスに過去の検索が候補として表示されなくなります。

ステップアップ 検索履歴の記録を一時停止する／再開する

検索履歴を記録させたくない場合は、一時的に記録を停止させることができます。履歴画面の右側に表示されている＜検索履歴を保存しない＞をクリックして、確認メッセージで＜一時停止＞をクリックします。記録を再開する場合は、＜検索履歴を有効にする＞をクリックして、確認メッセージで＜オンにする＞をクリックします。

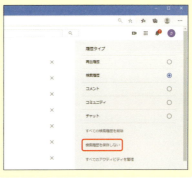

第4章 動画を効率的に探そう

87

Section 35 人気のある動画を探そう

覚えておきたいキーワード
- ☑ 急上昇
- ☑ 視聴回数
- ☑ 急上昇ランキング

YouTubeの急上昇には、人気アーティストの新曲や新作映画の予告編、口コミで人気が出た動画など、視聴回数が増加しており、視聴者にとって魅力のある動画が表示されます。急上昇に表示される動画のリストは約15分間隔で更新されるので、常に新しいトレンドを確認することができます。

1 急上昇の動画を見る

メモ 急上昇に表示される動画

＜急上昇＞に表示される動画は、プライバシー設定が「公開」に設定されている動画のみです。

1 ガイドの＜検索＞をクリックして、 **2** ＜急上昇＞をクリックします。

3 再生回数が急上昇している動画が一覧で表示されます。 **4** ジャンル（ここでは＜映画＞）をクリックします。

視聴したい動画のサムネイルやタイトルをクリックすると、動画が再生されます。

ヒント 急上昇ランキングの決定方法

＜急上昇＞の上位には、以下のような項目がバランスよく含まれた動画が表示されています。

- ・視聴者にとって魅力的であること
- ・YouTubeや世界のトレンドを取り上げていること
- ・驚きや目新しさがあること

5 ジャンル別の急上昇動画が表示されます。

Chapter 05

第5章

動画を投稿しよう

Section	36	動画の管理にはYouTube Studioを使う
	37	動画をアップロードしよう
	38	サムネイルを設定しよう
	39	公開範囲と公開日時を設定しよう
	40	投稿した動画を編集しよう
	41	視聴者のコメントに返信しよう
	42	コメントを管理しよう
	43	投稿した動画を削除しよう

Section 36 動画の管理にはYouTube Studioを使う

覚えておきたいキーワード
- ☑ YouTube Studio
- ☑ 投稿
- ☑ チャンネル

YouTube Studioは、自分で作成した動画を投稿したり、ライブ配信したりするほか、動画の設定や編集、チャンネルの設定、分析などすべてを管理するホームページとなります。チャンネル全体と個別の動画を管理します。YouTube Studioを利用するには、YouTubeにログインする必要があります。

1 YouTube Studioを起動する

キーワード　YouTube Studio

YouTubeに2019年春まで搭載されていた動画管理ページの「クリエイターツール」が、機能を追加して「YouTube Studio」に替わりました。投稿動画やライブ配信の管理のほか、チャンネルの拡大や視聴者との交流、動画の登録者数や再生数、視聴者の分析などを行うことができます。

1 YouTubeにログインして、アカウントアイコンをクリックし、

2 <YouTube Studio>をクリックします。

3 YouTube Studioが開き、自分のチャンネルが表示されます。

メモ　YouTube Studioの画面を表示する

動画を投稿したり、チャンネルや動画の詳細画面を表示したりすると、自動的にYouTube Studioの画面に切り替わります。

4 目的のメニュー(ここでは<再生リスト>)をクリックします。

5 作成した再生リストが表示され、編集することができます。

<YouTube Studioに戻る>をクリックすると、もとの画面に戻ります。

ヒント　YouTubeの画面に戻る

YouTubeの画面に戻るには、アカウントアイコンをクリックして、<YouTube>をクリックします。

2 YouTube Studioの画面構成

●画面例（チャンネルのダッシュボード）

メニュー	内容
ダッシュボード	チャンネル上の概要データやYouTubeの最新情報を確認できます。
動画	投稿した動画やライブ配信を確認できます。
再生リスト	作成した再生リストの管理を行います。
アナリティクス	チャンネルや動画の分析を行います。
コメント	動画へのコメントが表示され、返信もできます。
字幕	動画に字幕を追加することができます。
著作権	著作権を侵害している動画がある場合、削除依頼が表示されます。
収益受け取り	利用資格がある場合に、グッズなどの設定ができます。
カスタマイズ	チャンネルの情報やレイアウトを変更することができます。
オーディオライブラリ	動画で使用する音楽（無料）や効果音を取得できます。

> **ヒント　動画の詳細画面を開く**
>
> 投稿した動画や再生リストの動画は、YouTube Studioで管理されます。＜動画＞をクリックして、動画をクリックすると＜動画の詳細＞画面が表示され、操作メニューが変わります。＜エディタ＞では動画の編集や終了画面の追加ができます。＜字幕＞では言語を指定して、字幕を追加できます。

Section 37 動画をアップロードしよう

覚えておきたいキーワード
☑ アップロード
☑ 公開範囲
☑ 非公開

YouTubeでは、ほかの人が投稿した動画を視聴するだけでなく、自分が撮影した動画をアップロードして公開し、世界中のユーザーに見てもらうことができます。動画はYouTubeの画面からかんたんにアップロードすることができます。ここでは、動画をアップロードして公開範囲を設定しましょう。

1 動画をアップロードする

ヒント 動画のアップロード

動画をアップロードする場合、YouTubeのどの画面からでも操作することができます。アカウントアイコンの左端にある<作成> をクリックして、<動画をアップロード>をクリックします。
YouTube Studioの<ダッシュボード>を開いている場合は、画面内の<動画のアップロード>あるいは右上のアイコン をクリックします。

1 YouTubeのトップページを表示して、
2 ここをクリックし、
3 <動画をアップロード>をクリックします。
4 <動画のアップロード>画面が表示されるので、
YouTube Studioに切り替わります。
5 <ファイルを選択>をクリックします。

Section 37 動画をアップロードしよう

6 ビデオが保存してあるフォルダーを指定し、

7 アップロードする動画をクリックします。

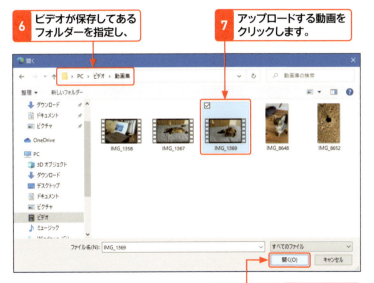

8 <開く>をクリックすると、

9 アップロードが開始され、「○%アップロード済み」というバーが表示されます。

10 アップロードが完了すると、「処理が終了しました」と表示されます。

メモ アップロードできる動画の長さ

アップロードできる動画の長さは、初期設定では15分までです。

ヒント アップロードのキャンセル

動画のアップロードをキャンセルしたい場合は、バーの右端にある<アップロードをキャンセル>をクリックします。

メモ アップロードできるファイル形式

YouTubeにアップロードできる動画のファイル形式は、以下の13種類です。

.MOV　　.MPEG4　.MP4
.AVI　　.WMV　　.MPEGPS
.FLV　　.3GPP　　.WebM
.DNxHR　.ProRes　.CineForm
.HEVC (h265)

第5章 動画を投稿しよう

93

Section 37 動画をアップロードしよう

2 動画の情報を設定する

メモ アップロード動画の設定

アップロードする動画は、タイトルなどの詳細情報→動画の要素→プライバシー選択の順に設定して保存されると、自分のチャンネル内にアップロードが実行されます。

1 動画のタイトルを入力して、

2 動画の説明を入力します。

メモ タイトルと説明

タイトルは最大100文字、説明は最大5,000文字まで入力できます。タイトルの入力は必須ですが、説明は任意です。

3 下にドラッグして、

メモ 動画のサムネイル

動画をアップロード後に表示されるサムネイルを、手順 4 で選択します。この画像は、あとから変更することができます（Sec.38参照）。

4 動画のサムネイルとして使用する画像をクリックします。

5 下にドラッグして、

ヒント 子ども向けと年齢制限

子ども向けか否かは、必ず設定する必要があります。また、年齢制限を設ける場合は、P.144を参照してください。

6 ＜この動画は子ども向けですか？＞でいずれかを選択します。

7 ＜次へ＞をクリックします。

第5章 動画を投稿しよう

94

8 ＜動画の要素＞画面が表示されます。

9 ここでは設定せずに、＜次へ＞をクリックします。

10 ＜公開設定＞画面が表示されます。

11 ここでは＜非公開＞をクリックします。

12 ＜保存＞をクリックすると、

13 動画がアップロードされます。

Section 37 動画をアップロードしよう

メモ 動画の要素の設定

手順**8**の＜動画の要素＞画面では、アップロードする動画の関連動画やWebサイトなどを視聴者に見てもらえるように、カードと終了画面を追加することができます。

メモ プライバシーや著作権に注意する

動画の内容によっては、プライバシー（肖像権）や著作権にかかわることもあり得ます。公開する際には十分注意しましょう。

メモ 公開範囲の設定

公開範囲には、自分だけ視聴する＜非公開＞、特定の人に知らせて公開する＜限定公開＞、誰でも視聴できる＜公開＞があります。この設定はあとから変更することができます（Sec.39参照）。

メモ アップロード先

アップロードされた動画は、YouTube Studioの＜動画＞の＜アップロード動画＞に保存されます。YouTubeの＜自分の動画＞と連携しており、＜自分の動画＞をクリックするとこの画面に切り替わります。

第5章 動画を投稿しよう

95

Section 38 サムネイルを設定しよう

覚えておきたいキーワード
☑ サムネイル
☑ YouTube Studio
☑ カスタムサムネイル

動画のサムネイル（縮小画像）は、視聴するユーザーに動画の内容を伝える大切なものです。サムネイルは、通常、動画をアップロードするときに設定しますが、アップロードしたあとでも変更することができます。ここでは、自分で用意した画像をカスタムサムネイルとして設定しましょう。

1 カスタムサムネイルを設定する

メモ サムネイルを変更する

動画をアップロードすると、サムネイルとして使用される画像の候補が自動的に3点用意されます。その中から別のサムネイルを選択することもできます。
候補になければ、「カスタムサムネイル」として右の手順のように手持ちの写真と替えることができます。

メモ YouTube Studioを表示する

YouTube で＜自分の動画＞を開いている場合、右上の＜動画を管理＞をクリックしても YouTube Studio に切り替わります。

ヒント 動画の編集画面を表示する

動画の編集画面は、動画の再生画面から表示することもできます。自分がアップロードした動画を再生して、動画プレーヤーの右下に表示されている＜動画の編集＞をクリックします。

1 アカウントアイコンをクリックして、

2 ＜YouTube Studio＞をクリックします。

3 ＜動画＞をクリックすると、

4 動画の管理画面が表示され、アップロードした動画が一覧表示されます。

5 編集する動画をクリックします。

第5章 動画を投稿しよう

96

右上の「ヒント」参照

ほかのサムネイル候補を
クリックして変更できます。

| ヒント | 動画の管理画面に戻る |

画面左上の＜←このチャンネルの動画＞を
クリックすると、手順❸の画面に戻ります。

6 動画の編集画面が表示されるので、ここをクリックします。

7 写真が保存してあるフォルダーを指定して、

8 サムネイルとして設定する画像をクリックし、

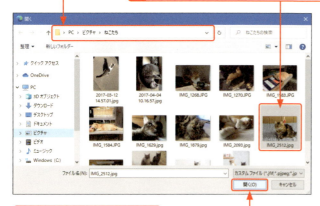

| メモ | サムネイルに
使用できる画像 |

カスタムサムネイルとして使用できる画像（推奨）は、次のとおりです。

・1280×720（最小幅が640ピクセル）の解像度
・ファイル形式は、JPG、GIF、BMP、PNG
・ファイルサイズは2MB以内
・16:9のアスペクト比

9 ＜開く＞をクリックします。

10 選択した画像がサムネイルとして設定されるので、

| ヒント | カスタムサムネイルを
再変更する |

ここで設定したサムネイルは何度でも変更することができます。
サムネイルにマウスポインターを合わせて＜その他のメニュー＞をクリックし、＜変更＞をクリックすると、手順❼の画面が表示されます。

11 ＜保存＞をクリックします。

Section 39 公開範囲と公開日時を設定しよう

覚えておきたいキーワード
- ☑ 公開範囲
- ☑ プライバシー設定
- ☑ 公開日時

投稿した動画の公開範囲は、通常、動画をアップロードする際に設定しますが、投稿したあとでも変更することができます。また、動画の公開日時は、動画をアップロードして公開した日時が設定されますが、動画の公開スケジュールを設定すると、公開日時を予約することができます。

1 公開範囲を設定する

メモ 公開範囲

公開範囲は以下の3種類の中から選択できます。

- 公開：すべてのユーザーが閲覧可能
- 限定公開：動画のURLを知っているユーザーのみが閲覧可能
- 非公開：アップロードした自分のみが閲覧可能

 1 YouTube Studioの<動画>をクリックして、動画の一覧を表示します。

2 公開範囲を変更したい動画のここをクリックします。

 3 <公開>あるいは<限定公開>をクリックしてオンにし、

4 <保存>をクリックすると、

 5 公開範囲が変更されます。

ヒント 公開範囲の設定方法

<動画の詳細>画面を表示している場合は、<公開設定>をクリックして、<公開>あるいは<限定公開>をクリックしオンにし、<完了>→<保存>をクリックしても変更できます（P.99参照）。

2 公開日時を設定する

1 目的の動画の＜動画の詳細＞画面を表示します。

2 ＜公開設定＞をクリックして、＜公開＞または＜限定公開＞をクリックしオンにします。

3 ＜スケジュールを設定＞をクリックします。

4 日付をクリックしてカレンダーを表示し、

5 公開日をクリックします。

6 時刻をクリックして、設定したい時刻をクリックします。

7 ＜完了＞をクリックします。

8 ＜保存＞をクリックします。

公開予約が設定されます。

📝 メモ ＜動画の詳細＞画面を表示する

YouTubeの＜自分の動画＞でアップロードした動画を再生している場合は、＜動画の編集＞をクリックすると、＜動画の詳細＞画面を表示できます。

💡 ヒント 公開日時を設定する

公開日時を設定するには、公開予約を設定します。設定した公開日時までは、非公開の扱いとなります。すぐに公開したい場合は、日時を設定する必要はありません。
なお、日時を設定するには＜公開＞または＜限定公開＞のいずれかを指定しておく必要があります。

📝 メモ 変更の確定

＜動画の詳細＞画面で設定を変更した場合、手順**8**の＜保存＞をクリックしなければ変更は確定されません。また、＜変更を元に戻す＞をクリックすると、もとの状態に戻ります。

Section 40 投稿した動画を編集しよう

覚えておきたいキーワード
- ☑ 動画の詳細
- ☑ タグ
- ☑ エディタ

動画を公開したあとでほかの動画と比べて、もっとわかりやすいタイトルや説明文のほうがよいと思うことがあります。公開後でもタイトルや説明文を変更することができます。また、タグなど最初に設定していない項目も新たに加えられます。さらに、エディタ機能で動画の長さを調整することができます。

1 動画のタイトルや説明文を編集する

メモ ＜動画の詳細＞画面

投稿した動画のタイトルや説明文など変更したい場合は、＜動画の詳細＞画面を表示します。右の手順のほか、YouTubeの動画再生画面の＜動画の編集＞をクリックしても表示できます。

1 YouTube Studioの＜動画＞をクリックして、

2 目的の動画の＜詳細＞をクリックします。

ヒント タグを編集する

タグとは動画に付けるキーワードで、タグによって動画がカテゴリ分けされるので、動画を公開したときに同じカテゴリの関連動画に表示しやすくなります。タグの設定は必須ではありませんが、公開して多くの人に見てもらいたい場合は、設定しておくとよいでしょう。タグの設定は、＜動画の詳細＞画面の下部にあり、「,」（カンマ）で区切って入力します。

3 タイトルや説明文を変更して、　　**4** ＜保存＞をクリックします。

2 動画の不要な部分をカットして編集する

1 動画の<動画の詳細>画面を表示して、<エディタ>をクリックします。

2 動画のコマが時間で表示されます。

3 <カット>をクリックします。

4 左端の青線をドラッグして不要な部分を指定し、

5 <プレビュー>をクリックします。

6 <保存>をクリックして（「ヒント」参照）、

7 確認メッセージの<保存>をクリックします。

メモ 動画をトリミングする

動画の不要な部分をカットすることができます。動画の冒頭部分、あるいは途中の一部分を指定できます。

ヒント 編集後の動画保存方法

カットした動画はもとのバージョンを保持したまま保存されます。新しい動画として保存したい場合は、 : をクリックして<新たに保存し直す>をクリックして名前を付けて保存します。

メモ カットのやり直し

手順4でカットする位置が違う場合は、<すべてクリア>をクリックしてやり直します。あるいは、手順6で<変更を破棄>、手順7で<キャンセル>をクリックしてもやり直しができます。

ステップアップ 動画の途中をカットする

上の操作は動画の最初の部分をカットしていますが、動画の途中をカットしたい場合は、<カット>をクリックして、白いバーをカットする先頭位置にドラッグします。<分割>をクリックして、白いバーをカットしたい最後の位置にドラッグします。<プレビュー>をクリックして、<保存>をクリックします。

Section 41 視聴者のコメントに返信しよう

覚えておきたいキーワード
- ☑ コメント
- ☑ コメントに返信
- ☑ ハートを付ける

自分が投稿した動画のコメントが有効になっている場合は、誰でもコメントを投稿することができます。投稿されたコメントは、動画の再生画面の下やYouTube Studioの＜コメント＞画面で確認できます。また、コメントに返信することができます。

1 視聴者のコメントを読む

メモ 投稿されたコメント

公開設定を＜公開＞あるいは＜限定公開＞にした動画（Sec.39参照）には、コメントを投稿できます（Sec.23参照）。投稿されたコメントは、動画の再生画面の下に表示されますが、YouTube Studioの＜コメント＞画面ではどの動画にコメントが投稿されたのかが確認できます。

ヒント YouTubeの再生画面を利用する

ここではYouTube Studioの＜コメント＞画面でコメントを確認していますが、YouTubeの＜自分の動画＞や再生リストなど自分でアップロードした動画の再生画面を開いてもコメントを確認したり、コメントの返信をしたりできます。

1 YouTube Studioを表示して（Sec.36参照）、

2 ＜コメント＞をクリックします。

3 投稿されている動画とコメントが表示されます。

4 動画をクリックすると、

5 動画のコメント画面が表示されます。

2 コメントに返信する

1 返信したいコメントの下に表示されている<返信>をクリックします。

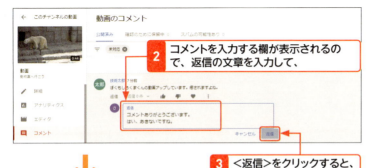

2 コメントを入力する欄が表示されるので、返信の文章を入力して、

3 <返信>をクリックすると、

4 コメントに返信できます。

ヒント お知らせが届く

動画にコメントが投稿されると、YouTubeからお知らせが届きます。<お知らせ>のアイコンをクリックすると、投稿内容が表示されます。

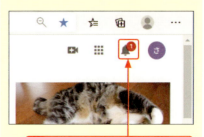

1 <お知らせ>をクリックすると、

2 投稿内容が表示されます。

ステップアップ コメントにハートを付ける

投稿されたコメントに評価を付けることができます（Sec.25参照）。さらにコメントがよかったり、うれしかったり、気に入った場合は、コメントの評価にある<ハートを付ける>をクリックします。これは配信者のみが付けることができます。

1 クリックすると、

2 ハートのアイコンを付けることができます。

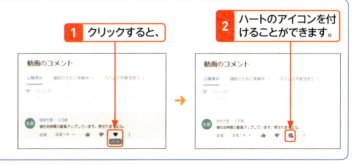

Section 42 コメントを管理しよう

覚えておきたいキーワード
- ☑ コメント一覧
- ☑ 動画のコメント
- ☑ コメントの削除

自分が公開した多数の動画に対してコメントが投稿されているかどうかは、YouTube Studioのコメント画面で確認できます。すべてのコメントが一覧で表示されます。動画別のコメントを表示したり、コメントを削除したり、コメントを固定したり、コメントの管理を行うことができます。

1 動画のコメントを表示する

メモ コメントの確認

動画のコメント自体はYouTubeの動画再生画面にも表示されますが、自分が公開した多数の動画をいちいち開いてコメントを確認するのは手間がかかります。コメントが投稿されているかどうかは、YouTube Studioの<コメント>ですべて確認できます。

1 YouTube Studioの<コメント>をクリックすると、

2 すべてのコメントが表示されます。　**3** 動画をクリックすると、

メモ フィルタを利用する

コメントの数が膨大な場合は、<フィルタ>をクリックすると、コメント投稿者を絞り込むことができます。

「ヒント」参照

4 目的の動画のコメントが表示されます。

2 コメントを削除する

1 YouTube Studioの＜コメント＞をクリックして、コメントの一覧を表示します。

2 削除したいコメントのここをクリックして、

3 ＜削除＞をクリックします。

4 コメントが削除されます。

メモ コメントを削除する

コメントは、動画の再生画面でも削除することができます。削除するコメントにマウスポインターを合わせると表示される をクリックして、＜削除＞をクリックします。

ステップアップ コメントを固定する

コメントは上から順に読まれるので、称賛するコメントや投稿者からのコメントを表示しておくと効果的です。コメントを固定するには、コメントの右端の をクリックして、＜固定＞をクリックし、確認メッセージで＜固定＞をクリックします。すでに固定されたコメントがあれば、新しく固定されたコメントに置き換わります。

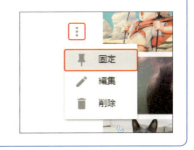

Section 43 投稿した動画を削除しよう

覚えておきたいキーワード
- ☑ 動画の削除
- ☑ 完全に削除
- ☑ 動画のダウンロード

自分がアップロードした動画は、いつでも削除することができます。動画の管理画面を表示して、個別または複数を指定して削除します。動画を削除すると完全に削除され、復元することはできません。また、自分がアップロードした動画をダウンロードすることもできます。

1 アップロードした動画を削除する

メモ そのほかの削除方法

YouTube Studioの＜動画の詳細＞画面で、︙をクリックして、＜削除＞をクリックします。

1 YouTube Studioの＜動画＞を表示して、

2 削除する動画にマウスポインターを合わせ、ここをクリックします。

3 ＜完全に削除＞をクリックして、

4 ここをクリックしてオンにし、

5 ＜完全に削除＞をクリックします。

＜動画をダウンロード＞をクリックすると、MP4ファイル形式でダウンロードできます。

ステップアップ 複数の動画を削除する

削除したい動画の左にあるボックスをクリックしてオンにします。＜その他の操作＞をクリックして、＜完全に削除＞をクリックします。

第5章 動画を投稿しよう

Chapter 06

第6章

自分のチャンネルを管理しよう

Section	44	自分のチャンネルに情報を入力しよう
	45	バナー画像やプロフィール写真を設定しよう
	46	自分のチャンネルの公開設定を行おう
	47	チャンネル紹介動画を掲載しよう
	48	チャンネルの公開コメントを発信しよう
	49	迷惑な視聴者をブロックしよう
	50	視聴回数や総再生時間を分析しよう
	51	新しいチャンネルを追加しよう
	52	複数のチャンネルを使い分けよう

Section 44 自分のチャンネルに情報を入力しよう

覚えておきたいキーワード
- ☑ チャンネル
- ☑ チャンネルのカスタマイズ
- ☑ チャンネルの説明

チャンネルには自分のチャンネルの内容をかんたんに紹介する文章を追加することができます。また、ビジネス用の問い合わせメールアドレスを掲載したり、SNSなどへのリンクを設定したりすることもできます。これらは<チャンネルのカスタマイズ>画面の<基本情報>で設定します。

1 チャンネルの説明を入力する

メモ チャンネルの作成

チャンネルの作成方法は、Sec.16で解説しています。

1 アカウントアイコンをクリックして、

2 <チャンネル>をクリックします。

3 自分のチャンネルが表示されます。

4 <チャンネルをカスタマイズ>をクリックすると、

5 <チャンネルのカスタマイズ>画面が表示されるので、

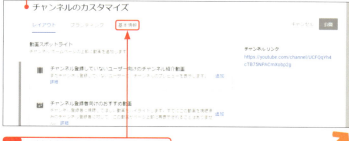

6 <基本情報>をクリックします。

ヒント <チャンネルのカスタマイズ>画面

<チャンネルのカスタマイズ>画面は、YouTube Studioのメニューから<カスタマイズ>をクリックしても表示できます。この画面では、バナー画像やプロフィール写真を設定したり(Sec.45参照)、チャンネル紹介動画や、おすすめチャンネルを追加したりすることができます。

第6章 自分のチャンネルを管理しよう

7 説明を入力するボックスにチャンネルの内容を紹介する文章を入力します。

8 ＜公開＞をクリックします。

メモ チャンネルの説明文

チャンネルの説明文は、チャンネルの内容をかんたんに紹介するものです。最大1,000文字まで入力することができます。
説明文はいつでも編集することができます。編集したら、＜公開＞をクリックします。

9 ここをクリックすると、チャンネル画面に切り替わります。

10 チャンネルの＜概要＞に説明文が追加されます。

ヒント チャンネル名の変更

チャンネル名を変更したい場合は、チャンネル名の横にある鉛筆のアイコンをクリックします。＜名＞と＜姓＞を変更したら、＜公開＞をクリックします。

ステップアップ メールアドレスを設定する

ビジネス用の問い合わせメールアドレスを掲載するには、＜メールアドレス＞をクリックしてアドレスを入力し、＜公開＞をクリックします。また、SNSなどへのリンクを追加するには、＜リンクを追加＞をクリックして、リンクのタイトルとリンク先のURLを入力して、＜公開＞をクリックします。

Section 44 自分のチャンネルに情報を入力しよう

第6章 自分のチャンネルを管理しよう

109

Section 45 バナー画像やプロフィール写真を設定しよう

覚えておきたいキーワード
- ☑ バナー画像
- ☑ チャンネルのカスタマイズ
- ☑ プロフィール写真

チャンネルの画面上部には、バナー画像と呼ばれる画像を設定することができます。バナー画像はパソコンやスマホなどデバイスによって表示範囲が異なります。また、プロフィール写真を設定することもできます。これらは＜チャンネルのカスタマイズ＞画面の＜ブランディング＞で設定します。

1 バナー画像を設定する

ヒント ＜チャンネルのカスタマイズ＞画面

＜チャンネルのカスタマイズ＞画面は、YouTube Studioのメニューから＜カスタマイズ＞をクリックしても表示できます。

メモ バナー画像に使用できる画像

バナー画像として使用できる画像（推奨）は、次のとおりです。

- 2048×1152以上
- ファイル形式はJPG、GIF（アニメーションGIFは不可）、BMP、PNGのいずれか
- ファイルサイズは6MB以内

ステップアップ プロフィール写真を設定する

プロフィール写真欄には、名前の1文字が表示されています。ここに写真を設定できます。手順 2 の画面で＜プロフィール写真＞の＜アップロード＞をクリックして、上記と同様に、写真を選択し、表示される範囲を確認して＜完了＞をクリックし、＜公開＞をクリックします。

1 P.108の手順 1 ～ 4 を操作して、＜チャンネルのカスタマイズ＞画面を表示します。

2 ＜ブランディング＞をクリックします。

3 ＜バナー画像＞の＜アップロード＞をクリックします。

4 写真が保存してあるフォルダーを指定し、

5 使用したい写真をクリックして、

6 ＜開く＞をクリックします。

7 写真がアップロードされ、デバイスでの表示範囲が示されます。

8 範囲を確認して、　**9** <完了>をクリックします。

10 バナー写真に設定されるので、

11 <公開>をクリックします。

12 チャンネルにバナー画像が表示されます。

Section 45 バナー画像やプロフィール写真を設定しよう

メモ　画像の表示範囲を選択する

手順**7**の画面で、テレビやパソコンで表示できる範囲を選択できます。

ヒント　画像の表示範囲を調整する

手順**7**の<バナーアートのカスタマイズ>画面では、表示させる画像の範囲や位置を調整できます。四隅の□をドラッグして範囲をトリミングすることができ、また範囲の四角をドラッグして位置を移動できます。

ヒント　バナー写真を変更／削除する

設定したバナー画像を変更するには、手順**10**の画面で<変更>をクリックします。手順**4**以降の操作で写真を入れ替えます。また、<削除>をクリックすると、バナー画像が削除され、もとの状態に戻ります。

第6章 自分のチャンネルを管理しよう

111

Section 46 自分のチャンネルの公開設定を行おう

覚えておきたいキーワード
- ☑ 登録チャンネル
- ☑ プライバシー設定
- ☑ 再生リスト

登録チャンネルのプライバシー設定は、初期設定ではすべて非公開に設定されています。非公開に設定されていると、登録しているチャンネルがほかのユーザーに表示されなくなります。ここでは、登録チャンネルのプライバシー設定を変更して、公開するように設定しましょう。

1 プライバシー設定画面を表示する

 ヒント　<設定>画面を表示する

アカウントアイコンをクリックしたときに下の画面が表示された場合は、<YouTubeの設定>をクリックすると、<設定>画面が表示されます。

YouTubeの設定

1 アカウントアイコンをクリックして、

2 <設定>をクリックします。

3 <設定>の<アカウント>画面が表示されるので、

4 <プライバシー>をクリックします。

5 プライバシー画面が表示されます。

メモ プライバーの設定

自分が作成した再生リスト、登録しているチャンネルのプライバシー（公開／非公開）を設定します。＜保存した再生リストをすべて非公開にする＞と＜すべての登録チャンネルを非公開にする＞でそれぞれオン／オフを選択します。ここでは、どちらもオフにして公開するようにします。

2 公開設定を変更する

1 プライバシー画面を表示して、

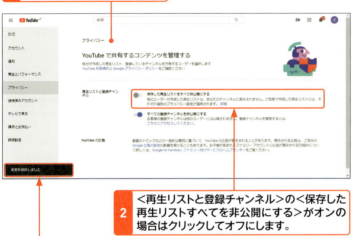

2 ＜再生リストと登録チャンネル＞の＜保存した再生リストすべてを非公開にする＞がオンの場合はクリックしてオフにします。

3 設定の変更が保存されます。

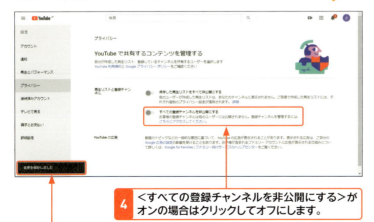

4 ＜すべての登録チャンネルを非公開にする＞がオンの場合はクリックしてオフにします。

5 設定の変更が保存されます。

メモ 登録チャンネルを公開に設定する

登録チャンネルを公開に設定すると、自分の登録しているチャンネルをほかのユーザーが見たときに、＜チャンネル＞タブに登録チャンネルが表示されるようになります。

メモ 保存した再生リストを公開に設定する

保存した再生リストを公開に設定すると、自分のチャンネルをほかのユーザーが見たときに、＜再生リスト＞タブに保存した再生リストが表示されるようになります。再生リストは個別に公開設定ができます。P.59を参照してください。

Section 47 チャンネル紹介動画を掲載しよう

覚えておきたいキーワード
- ☑ チャンネル登録
- ☑ チャンネル紹介動画
- ☑ 新規の訪問者向け

YouTubeでは、チャンネルに登録していないユーザー向けに、**チャンネル紹介動画**を設定することができます。チャンネル紹介動画は、**自分のチャンネルの内容を紹介**するための動画です。あらかじめ使用する動画をアップロードしておき、＜チャンネルのカスタマイズ＞画面で設定します。

1 チャンネル紹介動画を設定する

 メモ　チャンネル紹介動画

チャンネル紹介動画は、チャンネルを登録していない訪問者向けに、自分のチャンネルを紹介する動画です。視聴者がチャンネルを登録したくなるような動画を作成しましょう。

1 チャンネル紹介動画として使用する動画をアップロードしておきます（Sec.37参照）。

2 自分のチャンネルを表示して、＜チャンネルをカスタマイズ＞をクリックすると、

3 ＜チャンネルのカスタマイズ＞画面の＜レイアウト＞が表示されます。

 ヒント　チャンネル紹介動画のポイント

チャンネル紹介動画を作成するときは、以下の点を考慮します。

- 自分のコンテンツを紹介し、チャンネルの魅力を伝える
- 1分以内に収まるように簡潔にまとめる
- 動画の中でチャンネル登録を促す

＜チャンネル登録者向けのおすすめ動画＞も同様の方法で掲載できます。

4 ＜追加＞をクリックします。

5 ＜特定の動画の選択＞画面が表示されるので、動画の一覧から使用する動画をクリックします。

6 動画が表示されます。　**7** ＜公開＞をクリックします。

8 ここをクリックして、チャンネル画面に切り替えます。

9 チャンネル紹介動画が設定されます。

Section 47 チャンネル紹介動画を掲載しよう

ヒント　チャンネル紹介動画を変更または削除する

設定したチャンネル紹介動画は変更したり、削除したりすることができます。＜チャンネルのカスタマイズ＞画面の＜レイアウト＞でチャンネル紹介動画の右端にある ⋮ をクリックして、＜動画を変更＞あるいは＜動画を削除＞をクリックします。

メモ　新規の訪問者向け動画

チャンネル紹介動画は、チャンネルのホーム画面に表示されます。＜登録＞アイコンが画面上に表示されるので、視聴者がすぐチャンネル登録しやすくなります。

第6章 自分のチャンネルを管理しよう

115

Section 48 チャンネルの公開コメントを発信しよう

覚えておきたいキーワード
- ☑ フリートーク
- ☑ 公開コメント
- ☑ コミュニティ

チャンネルを公開したら視聴者にコメントを書き込んでみましょう。チャンネルにあるフリートークは、掲示板のように投稿者と視聴者が自由にコメントを書き込むことができる場所です。視聴者からチャンネルへの意見を聞いたり、交流したりできます。フリートークを非表示にすることもできます。

1 フリートークに公開コメントを入力する

メモ フリートークとコミュニティ

チャンネルには視聴者と公開コメントで交流ができる「フリートーク」タブが用意されています。これは、各動画のコメントと同様の機能ですが、チャンネルを登録している人だけでやり取りができるものです。

さらに、チャンネル登録者が1,000名を超えると自動的に「コミュニティ」タブに変更されます。コミュニティでは画像や動画、アンケート、GIFなどが使えるようになります。このため、登録者を増やすことを目標にしているユーザーも多くいます。

1 アカウントアイコンをクリックして、

2 <チャンネル>をクリックします。

3 自分のチャンネルを表示して、

4 <フリートーク>をクリックします。

2 フリートークで視聴者とやり取りする

1 公開コメント欄にコメントを入力して、

2 <コメント>をクリックします。

3 コメントが公開されます。

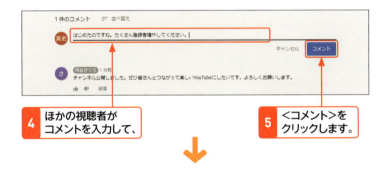

4 ほかの視聴者がコメントを入力して、

5 <コメント>をクリックします。

6 視聴者のコメントが表示されます。

メモ フリートークのコメントを編集／削除する

フリートークのコメントは通常のコメントと同じです。修正したいコメントや取り消したいコメントがある場合は、コメント右端の をクリックします。編集したい場合は<編集>をクリックしてコメントを編集し直し、<保存>をクリックします。削除する場合は、<削除>をクリックして削除します。

ヒント フリートークのコメントの許可

フリートークでのコメントは、既定では「コメントをすべて許可する」で、すべてのコメントが表示されるようになっています。不適切なコメントなどが増えた場合は、コメントを保留にしたり、無効にしたり設定を変更するとよいでしょう。YouTube Studioのメニューの<設定>をクリックして、<コミュニティ>をクリックし、<デフォルト>で<[フリートーク]タブのコメント>をクリックして選択します。

Section 49 迷惑な視聴者をブロックしよう

覚えておきたいキーワード
- ☑ コメントのブロック
- ☑ コメントを非表示
- ☑ ブロックの削除

投稿した動画に対するコメントがすべて友好的なものとは限りません。不適切なコメントや悪質なコメントが投稿される場合もあり得ます。YouTubeには、迷惑なコメントが投稿された場合に、そのユーザーからのコメントをブロック（非表示）する機能が用意されています。

1 特定のユーザーをブロックする

メモ コメントを一覧で表示する

コメントを一覧で表示するには、YouTube Studioの＜チャンネル＞の＜コメント＞をクリックします。YouTube Studioを開くには、アカウントアイコンをクリックして＜YouTube Studio＞をクリックするか、自分のチャンネル画面（P.108参照）の＜動画を管理＞をクリックします。

1 YouTube Studioの＜コメント＞をクリックして、コメントの一覧を表示します。

2 ＜操作メニュー＞をクリックして、

3 ＜ユーザーをチャンネルに表示しない＞をクリックすると、

4 特定のユーザーからのコメントが非表示になります。

ヒント コメントをブロックする

動画の再生画面でブロックすることもできます。ブロックするコメントにマウスポインターを合わせると表示される︙をクリックして、＜ユーザーをチャンネルに表示しない＞をクリックします。

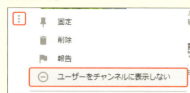

2 ブロックを解除する

1 YouTube Studioの＜設定＞をクリックして、

 **メモ ブロックを解除する**

ブロックの必要がなくなった場合や、誤ってブロックしてしまった場合は、ブロックを解除することができます。ただし、ブロック前やブロック中に投稿されたコメントは表示されません。

2 ＜設定＞画面を表示します。

3 ＜コミュニティ＞をクリックすると、

4 ＜非表示のユーザー＞欄にブロックしたユーザーが登録されています。

5 ブロックを解除したいユーザーの＜削除＞をクリックします。

6 ユーザー名が削除されます。

7 ＜保存＞をクリックします。

Section 50 視聴回数や総再生時間を分析しよう

覚えておきたいキーワード
- ☑ 動画解析機能
- ☑ アナリティクス
- ☑ エクスポート

YouTubeでは、さまざまな動画解析機能が搭載されたYouTubeアナリティクスを無料で使用することができます。自分が公開した動画の総再生時間や視聴回数、ユーザー層、再生場所、チャンネル登録者など、チャンネルと動画を評価するためのレポートやデータを分析することができます。

1 アナリティクスを表示する

🔍 キーワード　YouTubeアナリティクス

YouTubeアナリティクスは、動画の再生回数やユーザー層、再生場所、トラフィックソース、視聴者維持率などを分析できる動画のアクセス解析ツールです。

1 YouTube Studioを表示します。

2 ＜アナリティクス＞をクリックします。

ダッシュボードでも、視聴回数や総再生時間などを確認できます。

3 チャンネルアナリティクスの＜概要＞が表示されます。

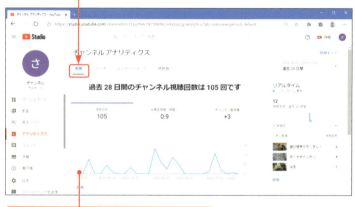

4 視聴回数や総再生時間が表示されます。

📝 メモ　YouTube Studioを表示する

YouTube Studioを開くには、アカウントアイコン→＜YouTube Studio＞をクリックするか、自分のチャンネル画面（P.108参照）の＜動画を管理＞をクリックします。

第6章 自分のチャンネルを管理しよう

2 詳細なデータを確認する

1 <リーチ>をクリックすると、　**2** 視聴回数などが表示されます。

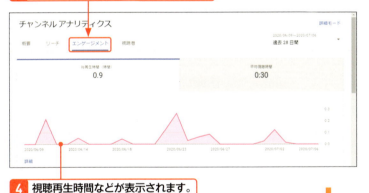

3 <エンゲージメント>をクリックすると、

4 視聴再生時間などが表示されます。

5 <視聴者>をクリックすると、

6 視聴者の視聴動向が表示されます。

ステップアップ　詳細モードで確認する

チャンネルアナリティクスの各ページの右上にある<詳細モード>をクリックすると、各項目の情報からグラフや集計表での分析結果が表示されます。詳細モードを閉じるには、右上の<閉じる>×をクリックします。

ヒント　現在のビューをエクスポート

詳細モード（上の「ステップアップ」参照）にすると、現在表示されているデータをパソコンにエクスポートすることができます。詳細モード画面の右上にある<現在のビューをエクスポート>をクリックして、エクスポート方法を指定します。

Section 51 新しいチャンネルを追加しよう

覚えておきたいキーワード
- ☑ アカウント画面
- ☑ 新しいチャンネルを作成
- ☑ ブランドアカウント

YouTubeでは、ブランドアカウントと呼ばれる特別なアカウントを作成して、新しいチャンネルを作成し、管理することができます。ブランドアカウントは、Googleアカウントで登録されている個人の名前とは別に、ビジネスやお店、任意の名前などでGoogleサービスを利用するためのものです。

1 ブランドアカウントを作成する

キーワード　ブランドアカウント

ブランドアカウントとは、Googleアカウントとは別の名前や写真をYouTubeアカウントで使用するために設定するチャンネル専用のアカウントです。

1 アカウントアイコンをクリックして、

2 <設定>をクリックします。

3 <設定>の<アカウント>画面が表示されるので、

4 <チャンネルを追加または管理する>をクリックします。

メモ　新しいチャンネルを作成する

新しいチャンネルを作成するには、右の手順でブランドアカウントを作成する必要があります。

5 <新しいチャンネルを作成>をクリックします。

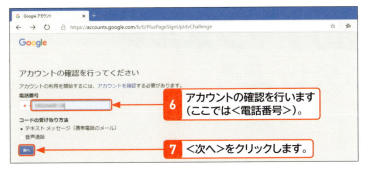

6 アカウントの確認を行います（ここでは＜電話番号＞）。

7 ＜次へ＞をクリックします。

8 確認コードを入力して、

9 ＜次へ＞をクリックします。

10 ブランドアカウントの作成画面が表示されるので、

11 ブランドアカウント名を入力します。

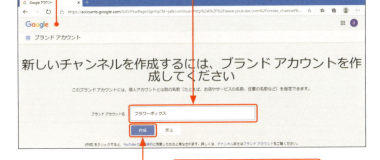

12 ＜作成＞をクリックすると、

13 新しいチャンネルが作成されます。

Section 51 新しいチャンネルを追加しよう

メモ　ブランドアカウント名

ブランドアカウント名は、Googleアカウントで登録されている名前とは別の任意の名前を設定します。

ヒント　ブランドアカウントを削除する

ブランドアカウントを削除するには、アカウントをブランドアカウントに切り替えます（Sec.52参照）。＜設定＞画面を表示して（P.122参照）、＜チャンネル管理者＞の＜管理者を追加または削除する＞をクリックして＜ブランドアカウントの詳細＞画面を表示し、＜アカウントの削除＞をクリックします。パスワードを入力して、＜アカウントを削除＞をクリックします。

ステップアップ　デフォルトのチャンネルを設定する

複数のチャンネルを作成すると、YouTubeにログインするとき、利用するチャンネルを選択する画面が表示されます。常に同じチャンネルでログインしたい場合は、そのチャンネルをデフォルトにしておくとよいでしょう。デフォルトにするチャンネルをクリックしてオンにし、＜次回から表示しない＞をクリックしてオンにして、＜OK＞をクリックします。

第6章　自分のチャンネルを管理しよう

123

Section 52 複数のチャンネルを使い分けよう

覚えておきたいキーワード
- ☑ チャンネルの使い分け
- ☑ アカウントを切り替える
- ☑ ログイン

複数のチャンネルを作成した場合に、現在使用しているチャンネルとは別のチャンネルを使用したい場合は、アカウントを切り替えることでチャンネルを使い分けることができます。アカウントアイコンをクリックして、＜アカウントを切り替える＞をクリックし、使用するアカウントを選択します。

1 アカウントを切り替える

メモ ログイン時に切り替える

複数のチャンネルを作成している場合は、YouTubeにログインするときに、アカウントを選択する画面が表示されます。そこで使用するチャンネルを指定することもできます。ただし、デフォルトにするチャンネルを設定している場合は、この画面は表示されません（P.123の「ステップアップ」参照）。

1 アカウントアイコンをクリックして、

2 ＜アカウントを切り替える＞をクリックします。

3 使用したいアカウントをクリックすると、

4 選択したアカウントのチャンネルを使用できるようになります。

Chapter 07

第7章

スマホやタブレットの
アプリで視聴しよう

Section	53	iPhoneにアプリをインストールしよう
	54	スマホで動画を視聴しよう
	55	スマホで再生リストを利用しよう
	56	スマホで動画を投稿しよう
	57	アプリからの通知をオフにしよう
	58	子供が利用する場合の制限を設定しよう
	59	利用中のデータ通信料に注意しよう

Section 53 iPhoneにアプリをインストールしよう

覚えておきたいキーワード
- ☑ YouTube アプリ
- ☑ iOS
- ☑ インストール

ほとんどのAndroidスマートフォンにはYouTubeアプリが標準でインストールされていますが、iPhoneやiPadなどのiOS搭載の機器にはインストールされていません。iOS搭載の機器でYouTubeアプリを利用するには、App Storeで検索してダウンロードし、インストールする必要があります。

1 iPhoneにYouTubeアプリをインストールする

メモ　Androidスマートフォンの場合

ほとんどのAndroidスマートフォンには、YouTubeアプリが標準でインストールされています。ただし、一部のスマートフォンやタブレットなどではインストールされていないものもあり、これらでYouTubeアプリを使うためにはPlayストアで検索して、インストールする必要があります。

Playストアで検索して、インストールします。

メモ　解説中の画面について

以降の解説ではiPhoneの画面を使用しています。Androidのスマートフォンやタブレットでも基本的に操作方法は同じですが、操作が異なる場合はその都度補足しています。

1 App Storeを起動します。

2 <検索>をタップして、

3 検索ボックスに「YouTube」と入力し、

4 <youtube>をタップします。

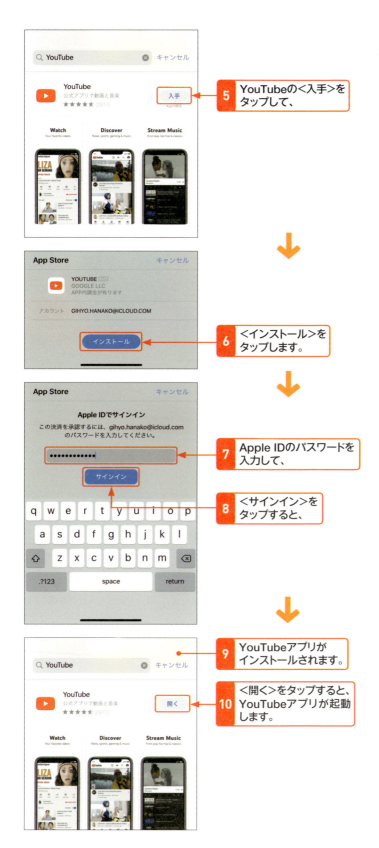

メモ Apple IDでサインインしていない場合

App Storeでアプリを検索してインストールするには、Apple IDでサインインしている必要があります。サインインしていない場合はサインイン画面が表示されるので、画面の指示に従います。

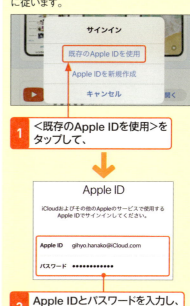

1 ＜既存のApple IDを使用＞をタップして、

2 Apple IDとパスワードを入力し、サインインします。

ヒント Apple IDを持っていない場合は?

Apple IDはiOS機器を利用するには必ず必要になりますが、持っていない場合や新しいApple IDを使用したいときは、サインイン画面で＜Apple IDを新規作成＞をタップして、画面の指示に従って作成します（上の「メモ」の画面参照）。パソコンで作成する場合は、Webブラウザで＜Apple IDを作成＞ページ（https://appleid.apple.com/）にアクセスして、＜Apple IDを作成＞をクリックし、画面の指示に従って作成します。

127

Section 54 スマホで動画を視聴しよう

覚えておきたいキーワード
- ☑ YouTubeを検索
- ☑ 動画の再生
- ☑ 急上昇動画

YouTubeアプリを起動するとおすすめの動画が表示されますが、キーワード検索を利用してお好みの動画を検索／再生することもできます。また、注目を集めている動画を見たい場合は＜検索＞メニューの＜急上昇＞をタップすると、再生数が急上昇している動画が表示されます。

1 視聴したい動画を検索して再生する

ヒント 注目を集めている動画を検索するには

再生回数の多い動画を見たい場合は、YouTubeアプリ画面の下に表示されている＜探索＞をタップして、動画のジャンルの中から＜急上昇＞をタップすると、再生回数が急上昇している動画が一覧で表示されます。話題になっている動画をいち早く視聴したいときに便利です。

1 ＜探索＞をタップして、
2 ＜急上昇＞をタップすると、再生回数の動画一覧が表示されます。

1 YouTubeアプリを起動して、
2 ここをタップします。

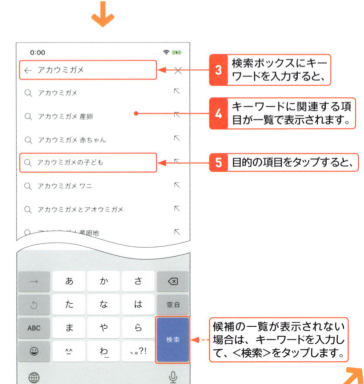

3 検索ボックスにキーワードを入力すると、
4 キーワードに関連する項目が一覧で表示されます。
5 目的の項目をタップすると、

候補の一覧が表示されない場合は、キーワードを入力して、＜検索＞をタップします。

6 動画が一覧で表示されます。

7 再生したい動画をタップすると、

8 動画が再生されます。

広告が表示された場合は、＜広告をスキップ＞をタップします。

9 スマートフォンを横向きにすると、全画面表示で再生できます。

メモ　全画面表示で再生できない場合

スマートフォンの設定で画面表示が自動回転になっていない場合や縦向きに固定されている場合は、横向きにしても全画面表示にはなりません。横向きで表示できるように画面表示を設定する必要があります。設定方法はOSのバージョンや機種によって異なります。また、画面右下のをタップすることでも、全画面表示で再生できます。

ヒント　動画の音量を調整する

動画の音量を調整したい場合は、スマートフォン本体の音量ボタンを使用します。なお、スマートフォンの設定によってはマナーモードを設定している場合でもYouTubeアプリからは音が出るようになっているので、注意しましょう。

メモ　「YouTube Premium」が表示されたら?

動画再生中にYouTube Premiumの広告が表示される場合があります。YouTube Premiumについては、P.146を参照してください。

Section 54 スマホで動画を視聴しよう

第7章 スマホやタブレットのアプリで視聴しよう

Section 55 スマホで再生リストを利用しよう

覚えておきたいキーワード
- ☑ 再生リスト
- ☑ 再生リストを作成
- ☑ 動画の追加

お気に入りの動画を再生リスト（プレイリスト）に登録しておくと、わざわざ検索をしなくても好きなときにすぐに再生できるようになります。再生リストは複数作成することができるので、動画の種類別にリストを作成しておくとお気に入りの動画が増えてしまっても、すぐに動画を見つけることができます。

1 新しい再生リストを作成して動画を追加する

ヒント 既存の再生リストに登録するには

パソコンで作成した再生リストや、YouTubeが自動的に作成する<後で見る>などに登録する場合は、<保存>をタップして<変更>をタップし、表示される再生リストの一覧から登録したい再生リストをタップします。

1 再生リストに追加したい動画を再生して、

2 <保存>をタップして、

メモ Googleにログインする

YouTubeアプリで動画を検索し見るだけならば誰もが自由にできますが、再生リストに動画を保存するためには、Googleアカウントにログインする必要があります。なお、YouTubeアプリでGoogleアカウントにログインすると、そのアカウントのYouTubeチャンネルが作成され、動画のアップロードやコメントを残すことができるようになります。

3 <新しいプレイリスト>をタップします。

<続ける>をタップして、画面の指示に従いGoogleアカウントにログインします。

<完了>をタップすると、チェックが付いているプレイリストに保存されます。

4 プレイリスト作成画面が表示されます。

5 プレイリストのタイトルを入力(ここでは「お気に入りの動画」)します。

6 <作成>をタップすると、作成したプレイリストに登録されます。

7 動画の再生画面を閉じて、YouTubeアプリの<ライブラリ>をタップすると、

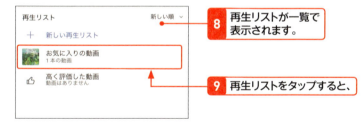

8 再生リストが一覧で表示されます。

9 再生リストをタップすると、

10 再生リストに登録された動画が表示されます。

ヒント 公開範囲を変更する

作成した再生リストは、リストごとに公開する範囲を設定できます。自分専用ならば「非公開」、友達などと共有したい場合は「限定公開」、すべてのYouTubeユーザーに公開したいときは「公開」を設定するなど使い分けましょう。

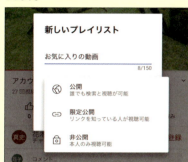

ヒント 再生リストから動画を削除する

再生リストに登録した動画を削除するには、YouTubeアプリの<ライブラリ>をタップして、削除したい動画が登録されている再生リストをタップします。登録した動画が表示されるので、削除する動画の をタップして、<[再生リスト名]から削除>をタップします。

ヒント 全画面表示の動画を登録するには

全画面で再生している動画を再生リストに登録するには、再生中の画面をタップして機能アイコンを表示させ、画面右上の<追加>をタップして登録します。

1 再生中の画面をタップして、

2 <追加>をタップします。

Section 56 スマホで動画を投稿しよう

覚えておきたいキーワード
- ☑ アップロード
- ☑ 録画
- ☑ ライブ配信

YouTubeアプリを使うと、スマートフォンで撮影した動画をかんたんに投稿することができます。スマートフォンに保存されている撮影済みの動画はもちろん、いま撮影した動画を投稿することができます。また、撮影した動画の不要な部分のカットや切り出しなど、YouTubeアプリを使ってかんたんな編集が可能です。

1 既存の動画をアップロードする

 メモ 動画をアップロードする

ここでは、スマートフォンに保存されている動画をアップロードする手順を解説します。新しい動画を撮影してアップロードする場合やライブ配信をする場合はP.135を参照してください。

ヒント アクセスを許可

YouTubeアプリで初めて動画をアップロードする場合は、アクセス許可を求める画面が表示されます。画面の指示に従って＜アクセスを許可＞をタップし、YouTubeアプリが「写真」や「カメラ」「マイク」などにアクセスできるように設定します。なお、スマートフォンの設定を変更した場合など、改めてアクセス許可を求められることがあります。この場合は、＜アクセスを許可＞をタップしてアクセスできるようにします。

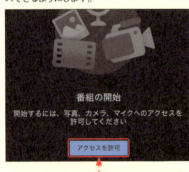

＜アクセスを許可＞をタップします。

1 YouTubeアプリを起動して、

2 ここをタップし、

3 ＜動画のアップロード＞をタップして、

4 アップロードする動画をタップします。

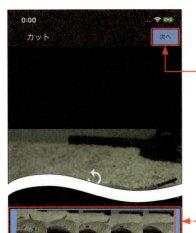

5 iPhoneの場合は＜次へ＞をタップし、Androidの場合は画面を上にスワイプします。

右下の「ヒント」参照

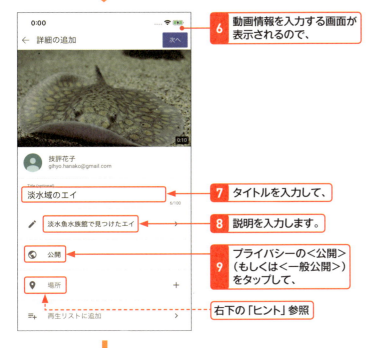

6 動画情報を入力する画面が表示されるので、

7 タイトルを入力して、

8 説明を入力します。

9 プライバシーの＜公開＞（もしくは＜一般公開＞）をタップして、

右下の「ヒント」参照

10 公開範囲をタップ（ここでは＜限定公開＞）し、

11 ＜次へ＞をタップします。

 ヒント　アップロードする動画を編集する

動画の一部だけをアップロードしたい場合や動画の見栄えをよくしたい場合など、必要に応じてアップロードする動画を編集することができます。手順5の画面の下に表示されている動画加工ツールを使用して、動画の前後をカットしたり、動画に音楽を追加したり、フィルタを適用したりすることができます。

 メモ　法令等を遵守する

動画の詳細を追加する画面に、アップロードする動画に関する注意事項が表示されています。動画をアップロードする場合はこれを遵守する必要があります。さらに詳しい情報の確認をするには＜詳細＞をタップします。初めてアップロードする場合はもちろんのこと、定期的に内容を確認する必要があります。

メモ　タイトルと説明

タイトルは最大100文字、説明は最大5,000文字まで入力できます。タイトルの入力は必須ですが、説明は省略できます。

 ヒント　「場所」を追加する

アップロードする動画には、撮影した場所の位置情報を加えることができます。ただし、自宅など個人を特定できるような場所で撮影した動画には、場所を特定されないように位置情報を追加しないようにしましょう。

ヒント 投稿した動画を編集する

アップロードするときに設定したタイトルや説明、プライバシーの設定などは、あとで変更することができます。＜ライブラリ＞の＜自分の動画＞をタップしてアップロード済み動画の一覧を表示し、編集したい動画の🖉をタップして＜編集＞をタップします。

＜編集＞をタップして「詳細の編集」画面を表示し、編集します。

ヒント 年齢制限をする

アップロード動画に年齢による視聴制限を設定したい場合は、手順13の視聴者層の選択画面の「動画を成人の視聴者のみに制限しますか？」の＜いいえ、動画を18歳以上の視聴者のみに制限しません＞をタップして、＜はい、動画を18歳以上の視聴者のみに制限します＞をタップします。

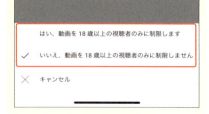

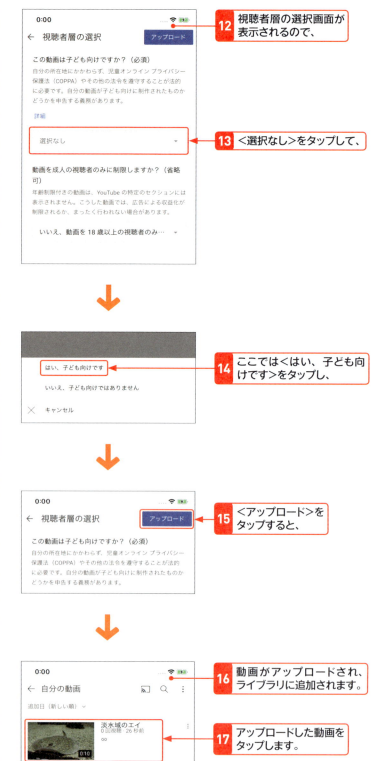

12 視聴者層の選択画面が表示されるので、

13 ＜選択なし＞をタップして、

14 ここでは＜はい、子ども向けです＞をタップし、

15 ＜アップロード＞をタップすると、

16 動画がアップロードされ、ライブラリに追加されます。

17 アップロードした動画をタップします。

18 動画が再生されます。

2 動画を撮影してアップロードする

1 YouTubeアプリを起動して、

2 ここをタップし、

3 <動画のアップロード>をタップして、

4 <録画>をタップします。

5 <開始>をタップし、動画を撮影します。

6 撮影を終える場合は<停止>をタップします。

7 以降の操作は、P.133の手順5以降を参照してください。

ステップアップ スマートフォンでライブ配信をするには

YouTubeには、テレビの生中継のように撮影中の映像をそのままYouTubeで配信するライブ配信する機能があります。ライブ配信をするには、手順3で<ライブ配信を開始>をタップします。
スマートフォンでライブ配信を利用するには、以下の要件を満たす必要があります。

・チャンネル登録者数が1,000人以上
・過去90日以内にチャンネルにライブ配信に関する制限が適用されていない
・チャンネルを確認している
・iOS8以降のスマートフォン

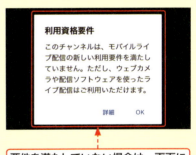

要件を満たしていない場合は、画面にメッセージが表示されます。

Section 57 アプリからの通知をオフにしよう

覚えておきたいキーワード
- ☑ アカウントアイコン
- ☑ モバイルの通知
- ☑ 通知のオン／オフ

自分が投稿した動画にコメントが付けられたり、登録チャンネルに新しい動画が投稿されたりすると、YouTubeアプリに通知が届きます。便利な機能ですが、頻度が多いと大切な通知を見逃しかねません。モバイルの通知画面で、不要な項目の通知をオフにし、必要な通知のみを受け取るようにしましょう。

1 通知が不要な項目をオフにする

メモ　YouTubeアプリからの通知

公開した動画にコメントが付いたり、登録チャンネルの動画が更新されたりした場合、YouTubeアプリに通知が届きます。通知が届くと、画面の下に表示されている＜登録チャンネル＞アイコンの右上に赤い丸印が表示されます。

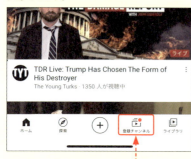

登録チャンネルに新しい動画が追加された場合は、＜登録チャンネル＞アイコンの右上に赤い丸印が表示されます。

1 YouTubeアプリを起動して、

2 アカウントアイコンをタップし、

3 ＜設定＞をタップします。

第7章 スマホやタブレットのアプリで視聴しよう

136

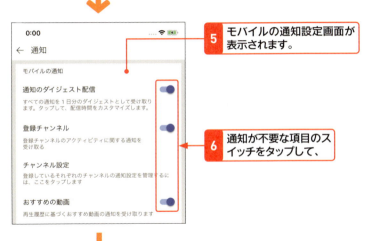

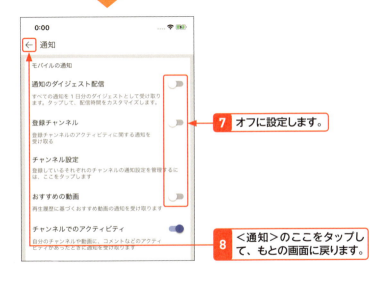

メモ YouTubeの通知

YouTubeからの通知は、登録しているチャンネルや視聴履歴などからユーザーの関心や興味に基づいて送られてきます。受け取る通知の種類を選択するには、左の手順でオンとオフを切り替えます。通知をいっさい受け取らないようにすることもできます（下の「ヒント」参照）。

ヒント 端末からの通知をオフにする

スマートフォンの＜設定＞アプリを起動して、＜通知＞→＜YouTube＞の順にタップし、アプリからの通知をオフに設定します。

＜通知を許可＞のスライドスイッチをタップしてオフにします。

Section 58 子供が利用する場合の制限を設定しよう

覚えておきたいキーワード
- ☑ YouTube Kids
- ☑ 子供のプロフィール
- ☑ 視聴時間の制限

YouTube Kids（ユーチューブキッズ）アプリは、YouTubeの動画の中から、子供向けの動画だけを抽出してくれるので、子供に安心してYouTubeを利用させることができます。動画の検索機能をオフにしたり、視聴時間を制限したりすることができるタイマー機能なども用意されています。

1 YouTube Kidsでプロフィールを設定する

メモ YouTube Kidsアプリを使用する

YouTube Kidsアプリを使用するには、アプリをダウンロードしてインストールする必要があります。iPhoneの場合はApp Storeから、Androidスマートフォンの場合はPlayストアからダウンロードしてインストールします（Sec.53参照）。

[1] YouTube Kidsアプリを起動して、

[2] <私は保護者です>をタップします。

[3] 「ようこそ」画面の▶をタップします。

ヒント テキストを表示する

YouTube Kidsアプリの紹介動画が再生されている画面で<テキストを表示>をタップすると、説明画面が表示されます。紹介動画に戻る場合は<動画を表示>をタップします。

[4] 保護者の生年月日を入力して、

[5] <確定>をタップすると、

[6] YouTube Kidsアプリの紹介動画が再生されます。

ここをタップすると設定が開始されます。

[7] ここをタップします。

8 <ログイン>をタップし、

9 パスワードを入力して、<確定>をタップします。

10 YouTube Kidsアプリを使用する子供の情報を入力して、

11 ここをタップします。

12 画面の指示に従って、コンテンツを設定します。

13 子供のプロフィールが作成されます。

14 をタップして、完了します。

メモ 保護者が許可したコンテンツ

おすすめコンテンツの設定で<保護者が許可したコンテンツ>をタップして選択すると、保護者が設定したコンテンツ以外は利用できなくなります。

<保護者が許可したコンテンツ>をタップします。

ヒント 新しいプロフィールを作成する

YouTube Kidsでは、複数のプロフィールを作成することができ、プロフィールごとにおすすめ動画などの情報が異なります。複数の子供が同じスマートフォンでYouTube Kidsを利用する場合は、子供ごとのプロフィールを作成しておくとよいでしょう。<設定>画面を表示して、<お子様用プロフィール>の<新しいプロフィールを追加>をタップし、アカウントのパスワードを入力して<確定>をタップし、新しいプロフィールを作成します。

2 視聴できる時間を設定する

メモ 視聴時間を制限する

子供に長い時間YouTubeを見せたくない場合は、タイマーを設定します。タイマーを設定すると、YouTube Kidsを視聴できる時間を制限することができます。

メモ タイマーを再開する

タイマーを設定すると、制限時間が終了すると視聴ができなくなります。タイマーを再開するには、画面右下に表示されている鍵のアイコンをタップしてパスコードを入力し、手順6からの操作でタイマーを再開します。

ヒント 独自のパスコードを設定する

YouTube Kidsアプリでは、各種設定を行う際に計算に解答してロックを解除しますが、子供が計算できる場合には解除されてしまいます。これを防止するために、独自のパスコードを設定しておくとよいでしょう。
手順3の画面で＜独自のパスコードを設定＞をタップして、計算結果を入力し＜送信＞をタップすると表示される＜パスコードの作成＞画面で設定します。あるいは、手順5の画面の＜設定＞をタップして表示される＜設定＞画面で、＜パスコードを変更＞からでも変更できます。

1 YouTube Kidsアプリを起動して、

2 鍵のアイコンをタップします。

3 表示された計算の答えを入力して、

計算式のほかにパスコードなどが表示されることがあります（「ヒント」参照）。

4 ＜送信＞をタップすると、

5 設定画面が表示されるので、

6 ＜タイマー＞をタップします。

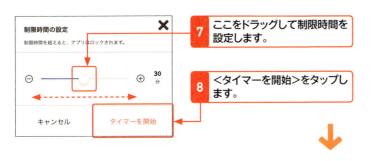

7 ここをドラッグして制限時間を設定します。

8 ＜タイマーを開始＞をタップします。

ヒント 独自のパスコードを削除する

設定した独自のパスコードを削除したい場合は、P.140の手順 5 の画面で＜設定＞をタップします。表示される＜設定＞画面で＜パスコードを削除＞をタップすると、初期状態に戻ります。また、＜パスコードを変更＞をタップすると、設定した独自のパスコードを変更できます。

9 設定した時間が経過すると、視聴ができなくなります。

ステップアップ 履歴を削除する

履歴を削除するには、YouTube Kidsアプリの鍵のアイコンをタップしてパスコードを入力し、＜設定＞をタップして、子供のプロフィールを選択します。＜お子様用プロフィール＞画面を表示して、＜履歴を削除＞をタップします。
複数の子供のプロフィールを作成している場合に、特定のプロフィールの履歴だけを削除したいときは、＜お子様用プロフィール＞画面で履歴を削除したい子供のプロフィールをタップして、＜履歴を削除＞をタップします。

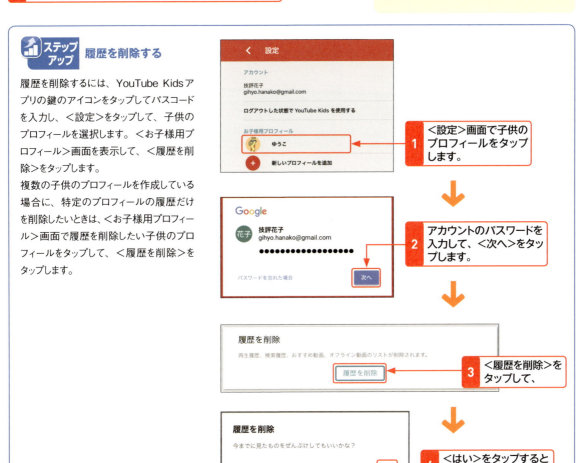

1 ＜設定＞画面で子供のプロフィールをタップします。

2 アカウントのパスワードを入力して、＜次へ＞をタップします。

3 ＜履歴を削除＞をタップして、

4 ＜はい＞をタップすると履歴が削除されます。

Section 58 子供が利用する場合の制限を設定しよう

第 7 章 スマホやタブレットのアプリで視聴しよう

141

Section 59 利用中のデータ通信料に注意しよう

覚えておきたいキーワード
- ☑ データ通信量
- ☑ Wi-Fi接続
- ☑ アクセスポイント

モバイルデータ通信で動画の再生や投稿をするとデータ通信量が多くなり、契約内容によっては契約容量を使い切って通信制限がかかることがあります。データ通信量を気にせずにYouTubeを楽しみたい場合は、自宅などで契約しているインターネット回線にWi-Fi接続するとよいでしょう。

1 スマートフォンをWi-Fiに接続する

メモ Wi-Fiネットワークに接続すると

Wi-Fiネットワークに接続すると、画面右上の表示が「4G」などからWi-Fiのアイコンに変わります。なお、モバイルネットワークは回線種類によって、表示が異なります。

メモ Androidスマートフォンの場合

Androidスマートフォンでは、Android OSのバージョンや使用しているスマートフォンの機種によって設定が異なります。ほとんどの機種では＜設定＞画面から＜ネットワークとインターネット＞をタップし、＜Wi-Fi＞をオンにして接続するWi-Fiネットワークをタップし、パスワードを入力します。

1 設定画面を表示して、
2 ＜Wi-Fi＞をタップします。
3 接続するWi-Fiネットワークをタップして、
4 Wi-Fiに接続するためのパスワードを入力します。
5 ＜接続＞をタップすると、Wi-Fiに接続されます。

Chapter 08

第8章

困ったときの解決策

Question	01	年齢確認の画面が表示された
	02	広告表示を消したい
	03	プレミアム会員の勧誘画面が表示された
	04	同じ動画を繰り返し再生したい
	05	画面が途中で止まってしまった
	06	日本語の文字が入力できない
	07	メニューが日本語で表示されない
	08	字幕を日本語にしたい
	09	通知メールを受け取りたくない
	10	YouTubeアプリにはどんなものがあるの
	11	テレビでYouTube上の動画を視聴したい
	12	著作権侵害の申し立てが表示された
	13	無料で利用できる音源を探したい
	14	ほかのサイトに動画を埋め込みたい
	15	パスワードを忘れてしまった
	16	再設定用のメールアドレスを登録したい
	17	利用規約を確認したい
	18	権利違反の動画を発見した
	19	Googleアカウントを削除したい

Q 01 年齢確認の画面が表示された

A ログインして 18 歳以上であれば視聴することができます。

動画によっては年齢制限を設定している場合があります。また、動画の内容が制限の対象であるとYouTubeの審査チームによって認識された場合に、年齢制限が設定されることもあります。この場合は、Googleアカウント（Sec.14参照）でログインして、年齢確認ができれば視聴できるようになります。
なお、Googleアカウントの取得は13歳以上から可能ですが、アカウントでログインしても、18歳以上でなければ年齢制限が設定されている動画を視聴することはできません。投稿する動画に年齢制限を設定したい場合は、動画のアップロード時に行いますが（P.94参照）、投稿後でも行えます（右図参照）。

年齢確認を行う

1 年齢確認の画面が表示された場合は、

2 ＜ログイン＞をクリックして、Googleアカウントにログインします。

3 Googleにログインしたあとでこの画面が表示された場合は、

4 ＜理解した上で続行する＞をクリックすると、動画が再生されます。

年齢制限を設定する

1 投稿した動画の詳細画面を表示します（P.100参照）。

2 ＜いいえ、子ども向けではありません＞をクリックしてオンにし、

3 ＜年齢制限＞をクリックします。

4 こちらをクリックしてオンにし、

5 ＜保存＞をクリックします。

6 動画一覧に戻ると、年齢制限が設定されていることが確認できます。

広告表示を消したい

 広告をスキップしたり、閉じたりして非表示にします。

動画を再生すると、動画によっては広告が表示される場合があります。Googleサービスと提携して、年齢や性別、関心のある情報などから関連性の高い広告が表示されるようになっています。

広告にはいくつかの種類があり、動画が始まる前に表示されたり、再生中に表示されたりします。また、再生画面の右側の動画一覧にも広告動画が表示される場合もあります。それぞれ、以下の方法で広告を非表示にできます。なお、スキップできない広告もあります。

動画を頻繁に視聴して、毎回広告を非表示にするのがわずらわしい場合、YouTube Premium（Q03参照）の会員になると、動画再生中に広告は一切表示されなくなります。

動画開始前の広告を非表示にする

<広告をスキップ>をクリックします。

動画再生中の広告を非表示にする

広告の<閉じる>をクリックします。

動画一覧の広告を非表示にする

1 ここをクリックして、

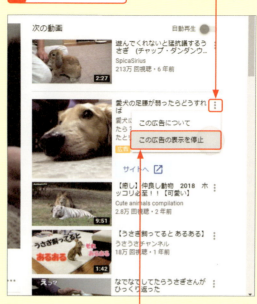

2 <この広告の表示を停止>をクリックします。

3 広告に対するアンケート画面が表示されます。

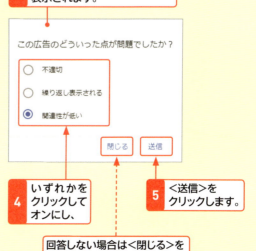

4 いずれかをクリックしてオンにし、

5 <送信>をクリックします。

回答しない場合は<閉じる>をクリックして終了します。

第8章 困ったときの解決策

プレミアム会員の勧誘画面が表示された

YouTube Premium は YouTube の有料サービスです。

プレミアム会員やYouTubeの新サービスの勧誘画面が、左下などに表示される場合があります。関心がなければ＜スキップ＞や＜関心がない＞をクリックします。
YouTube Premium（プレミアム）は、YouTubeに特典が追加された有料のサービスです。利用したい場合は、1ヵ月の無料トライアル期間があるので試してみてから、会員になるとよいでしょう。
申し込むには、広告の＜1か月間無料＞をクリックするか、ガイドの＜YouTube Premium＞をクリックして、＜使ってみる＞をクリックし、プランを選択します。

YouTube操作中に広告が表示されます。

申し込む場合は＜使ってみる＞をクリックします。

Premiumの特典

・動画開始、再生中に広告が表示されず動画を中断なしで視聴できる
・動画や再生リストを一時保存してオフライン再生ができる
・ほかのアプリを使っていてもバックグラウンドで動画を再生ができる
・中断なしで音楽を楽しめるYouTube Music Premiumを無料で利用できる
・YouTube Originalsの映画や番組を視聴できる

第8章 困ったときの解決策

146

同じ動画を繰り返し再生したい

＜ループ再生＞をクリックします。

動画を繰り返し再生したい場合は、動画再生中に画面（動画）上を右クリックして＜ループ再生＞をクリックします。この設定は、現在再生している動画にのみ有効です。ループ再生を取り消すには、同様に右クリックして＜ループ再生＞をクリックします。なお、同じ動画を再度見たい場合は、動画の再生が終わったら、＜もう一回見る＞をクリックします。クリックするのが遅いと、関連動画の再生が始まってしまいます。

ループ再生

1 繰り返し見たい動画を再生します。

2 画面上を右クリックして、

3 ＜ループ再生＞をクリックします。

もう一回見る

再生が終わると＜もう一回見る＞が表示されるのでクリックします。

動画が途中で止まってしまった

回線速度とWebブラウザの状態を確認します。

動画が途中で止まってしまう、映像がスムーズに再生できないという場合は、回線速度や回線品質を確認してみましょう。YouTubeで推奨されている回線速度の目安は以下のとおりです。

- 4K画質　：20Mbps以上
- HD画質　：5Mbps以上
- SD画質　：1.1Mbps以上

なお、格安回線や、Wi-Fi契約で通信の上限を設定している場合は、上限に達すると通信速度が規制されてしまいます。この場合は、契約を確認してみましょう。

回線速度や品質に問題がない場合は、パソコンやWebブラウザを再起動する、タブを複数開いている場合はYouTube以外のタブを閉じる、Webブラウザのキャッシュと Cookie を削除することで解消できることがあります。

回線速度をチェックする

1 Googleで「スピードテスト」と入力して検索すると、

2 <インターネット速度テスト>が表示されます。

3 <速度テストを実行>をクリックすると、

4 インターネットの速度が確認できます。

日本語の文字が入力できない

Microsoft IMEの入力モードを<ひらがな>に切り替えます。

YouTubeで検索キーワードなどを入力しようとすると、英文字で入力されてしまうのは、入力モードが半角英数字入力モードになっていることが原因です。この場合は、入力モードを日本語入力（ひらがな）モードに切り替えます。

入力モードを切り替えるには、キーボードの[半角/全角]を押すか、入力モードアイコンクリックします。半角英数字モード A と日本語入力モード あ が切り替わります。そのほか、入力モードアイコンを右クリックすると入力モードを切り替えられます。

1 入力モードが「半角英数字」になっています。

2 キーボードの[半角/全角]を押すか、入力モードアイコンをクリックします。

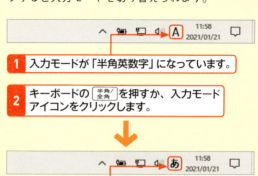

3 日本語入力モード（ひらがな）に切り替わります。

メニューで切り替える

1 入力モードアイコンを右クリックして、

2 切り替える入力モードをクリックします。

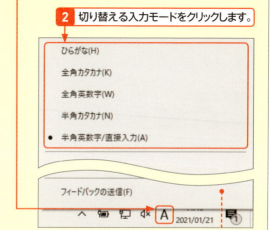

メニュー表示は異なる場合があります。

第8章 困ったときの解決策

Q 07 メニューが日本語で表示されない

A 言語を＜日本語＞に設定します。

YouTubeを開いたときに、英語などほかの言語で表示された場合は、言語の設定を＜日本語＞に変更します。アカウントアイコンをクリックして＜Language＞をクリックし、＜日本語＞をクリックします。ログインしていない場合は、右上の＜設定＞ をクリックして、同様に日本語を指定します。なお、「設定」や「言語」の表示は、表示されている言語によって異なります。以下では、英語で表示されている場合を例にしています。

1 YouTubeを開いたときに、英語などほかの言語で表示された場合は、

2 アカウントアイコンをクリックして、

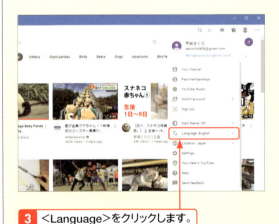

3 ＜Language＞をクリックします。

4 設定できる言語の一覧が表示されるので、

5 ＜日本語＞をクリックします。

ログインしていない場合

1 ＜設定＞をクリックして、

2 ＜Language＞をクリックし、

3 ＜日本語＞をクリックします。

字幕を日本語にしたい

字幕の言語を＜日本語＞に変更します。

外国語の字幕を日本語にするには、動画プレーヤーにマウスポインターを移動して、下部に表示されるツールバーの＜設定＞から＜字幕＞をクリックして、＜日本語＞をオンにします。＜日本語＞が表示されない場合は、＜自動翻訳＞をクリックして＜日本語＞をクリックすると、日本語の字幕が表示されます。

なお、字幕は動画の投稿者が設定するもので、すべての動画に表示されてはいません。字幕が設定されている場合は、＜字幕＞をクリックすると、字幕のオンとオフを切り替えることができます。

1 動画の字幕が外国語で表示されています。

2 動画プレーヤーにマウスポインターを移動して、

3 ツールバーを表示します。

4 ＜設定＞をクリックして、

5 ＜字幕＞をクリックします。

6 ＜日本語＞をクリックすると、

7 字幕の設定が＜日本語＞に変更されます。

＜字幕＞をクリックすると、字幕のオン／オフが切り替わります。

8 字幕が日本語で表示されます。

第8章 困ったときの解決策

Q 09 通知メールを受け取りたくない

A アカウント設定の＜通知＞で設定を変更します。

YouTubeには、登録しているチャンネルの通知や、ユーザーの関心や興味に基づくコンテンツの新着動画や更新についての案内を通知してくれる機能が搭載されています。この通知がわずらわしい場合は、受け取る通知の種類を変更することができます。また、通知をいっさい受け取らないように設定することもできます。アカウントアイコンから＜設定＞をクリックして、＜設定＞の＜通知＞画面で設定します。

受け取る通知の種類を変更する

1 アカウントの設定画面を表示して、＜通知＞をクリックします。

2 通知の種類のオン／オフを設定します。

YouTubeからのメール通知を無効にする

1 ＜通知＞画面で＜メール通知＞を表示します。

2 ＜権限＞のここをクリックしてオフにすると、重要な通知以外は停止されます。

Q 10 YouTubeアプリにはどんなものがあるの

A 音楽や子供用、連続再生ができるアプリなど多数用意されています。

YouTubeアプリには、動画配信のYouTubeのほか、音楽ストリーミングの「YouTube Music」、子供が一人でも見ても安全な「YouTube Kids」などが用意されています。そのほか、YouTube動画を連続で再生できる「LoopTube」、動画閲覧に特化した「VIATube」や「動画まとめforユーチューバー」など有料／無料、スマホ用などさまざまな種類があります。Microsoft StoreなどのストアアプリでYouTubeアプリを検索してみましょう。

YouTube Music

YouTube Kids

Microsoft Storeで検索します。

Q 11 テレビでYouTube上の動画を視聴したい

 A 機器を利用してネットに接続できるようにします。

YouTube上の動画は、パソコンやスマホ、タブレットで見るのが一般的ですが、家庭用のテレビでも見ることができます。ネットに接続できるテレビやレコーダー、動画再生機器、あるいは家庭用ゲーム機を利用して視聴します。

テレビやレコーダーで視聴する

テレビがインターネットに対応していて、YouTube視聴用のアプリやYouTubeサイトにアクセスでき、動画や音声の再生のできるWebブラウザ機能があれば、ネットにつなぐだけで視聴できます。

テレビがインターネットに対応していない場合でもHDDレコーダーが対応していれば、テレビにレコーダーを接続して視聴できます。テレビあるいはHDDレコーダーをネットに接続する場合は、有線（LANケーブルで接続）またはWi-Fiで行います。

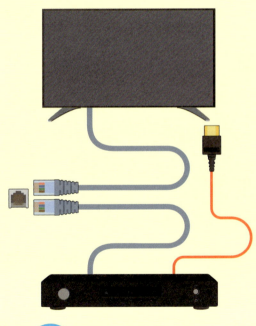

動画再生機器（端末）で視聴する

Amazon Fire TVシリーズやApple TV、Android TVなどの動画再生機器とテレビを接続すると視聴できます。機器とネットの接続は、Wi-Fiで行う方式のものがほとんどです。

家庭用ゲーム機で視聴する

テレビに接続して使う家庭用ゲーム機の中には、ネットに接続して、YouTube動画を視聴するためのアプリやWebブラウザ機能を搭載したものがあります。これらを使うと、テレビで視聴できるようになります。

家庭用ゲーム機とネットの接続は、有線またはWi-Fiで行います。

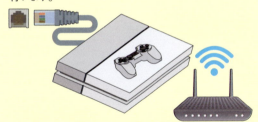

テレビにパソコンを接続して視聴する

外部モニターへの出力端子があるパソコンやノートパソコンでは、テレビに接続することができます。特にHDMI出力端子があるパソコンの場合は、そのままテレビに接続して大画面で視聴できます。

動画の検索などをパソコンのキーボードで行うことができるので、操作性が非常に高いです。

なお、出力端子や接続ケーブルなどは機種によって異なります。

Q12 著作権侵害の申し立てが表示された

A 非公開にして自分だけで楽しむか、動画の修正等を行います。

ほかの人の動画や音楽を、自分のチャンネルにアップロードし直すのは著作権の侵害になります。そのほか、講義などの動画やポスター、絵画などの視覚的作品、演劇やミュージカル、フリーの音源などもYouTubeが著作権侵害とみなす場合があります。また、メールなどが届く場合もあります。
非公開にして自分だけで楽しむか、公開する場合は該当部分をカットする、ミュートにする、ほかの音源に変更するといった対処が必要になります。
オリジナルの音源の場合は、手順❹の画面で＜異議申し立て＞をクリックして、画面に従って申し立てをします。

1 ＜詳細を表示＞をクリックすると、

「著作権侵害の申し立て」が表示されます。

2 ＜著作権の概要とステータス＞が表示されるので内容を確認します。

3 ＜操作を選択＞をクリックして、

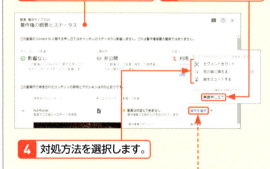

4 対処方法を選択します。

異議申し立てする場合はここをクリックします。

Q13 無料で利用できる音源を探したい

A オーディオライブラリから探します。

YouTube Studioのオーディオライブラリでは、動画で利用できる音楽や効果音などの音源が無料でダウンロードできます。ただし、無料や著作権フリーの音源でも、Webサイトでは警告が出される場合があります。規約を読んで、使用できる範囲を確認し、その範囲内で利用します。音源を検索する場合、＜無料の音楽＞ではジャンルや楽器などで選んだり、＜効果音＞ではカテゴリで選んだりすることができます。音源をクリックすると視聴でき、をクリックするとダウンロードできます。

1 YouTube Studioを表示して（Sec.36参照）、

2 ＜オーディオライブラリ＞をクリックします。

3 ＜無料の音楽＞タブに音楽一覧が表示されます。

4 ＜効果音＞タブをクリックします。

5 目的の効果音の＜ダウンロード＞をクリックすると、ダウンロードできます。

Q14 ほかのサイトに動画を埋め込みたい

A 埋め込むためのコードをコピーして、サイトに貼り付けます。

YouTubeに投稿した動画は、埋め込み用のコードをコピーすることで、自分のホームページやブログ、SNSなどのサイトに埋め込むことができます。
サイトに埋め込みたい動画の再生画面を表示して、動画プレーヤーの右下にある＜共有＞をクリックし、＜埋め込む＞をクリックします。動画を埋め込むためのコードが表示されるので、必要に応じて埋め込みオプションと開始位置を設定したあと、コードをコピーします。クリップボードにコピーされるので、ホームページなどに貼り付けると動画を埋め込むことができます。

1 動画の再生画面を表示します。

2 ＜共有＞をクリックして、

3 ＜埋め込む＞をクリックします。

4 動画を埋め込むためのコードと埋め込みオプションが表示されるので、

5 下方へドラッグして、

6 必要に応じて開始位置と埋め込みオプションを設定します。

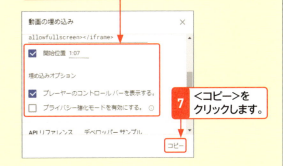

7 ＜コピー＞をクリックします。

サイトに埋め込む

1 貼り付けたいサイト（ここではFacebook）を開き、

2 動画を埋め込みたい位置で貼り付けます。

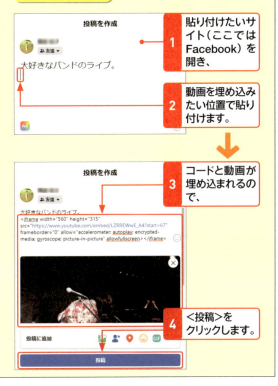

3 コードと動画が埋め込まれるので、

4 ＜投稿＞をクリックします。

第8章 困ったときの解決策

153

Q15 パスワードを忘れてしまった

A 新しいパスワードを設定し直します。

Googleアカウントのパスワードを忘れてしまった場合は、新しいパスワードを再設定することができます。ログイン画面で＜パスワードをお忘れの場合＞をクリックして、表示される画面に従って操作します。
なお、パスワードを再設定するには、携帯電話や再設定用のメールアドレスの登録が必要になります。Googleアカウントを作成する際に、これらを登録しておくとスムーズに設定ができます（Sec.15参照）。登録情報によって、操作手順が変わる場合があります。

パスワードを再設定する

1 ＜ログイン＞をクリックします。

2 パスワードを入力する画面が表示されるので、

3 ＜パスワードをお忘れの場合＞をクリックして、

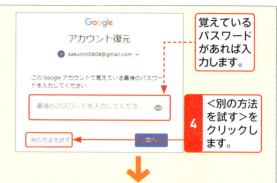

覚えているパスワードがあれば入力します。

4 ＜別の方法を試す＞をクリックします。

これ以降の画面は、設定状況によって異なります。本解説以外の画面が表示された場合は、画面の指示に従って、情報を入力してください。

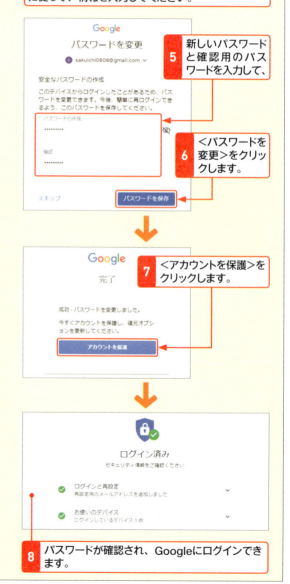

5 新しいパスワードと確認用のパスワードを入力して、

6 ＜パスワードを変更＞をクリックします。

7 ＜アカウントを保護＞をクリックします。

8 パスワードが確認され、Googleにログインできます。

Q16 再設定用のメールアドレスを登録したい

A Googleアカウント画面で設定します。

パスワードの再設定をする場合、本人確認用のメールアドレスが必要になります。アカウント作成時に指定しなかった場合、あるいは変更したい場合は、いつでもGoogleアカウント画面で登録できます。なお、パスワードを変更する場合（P.154参照）、電話番号や再設定用のメールアドレスを登録していないと、＜ログインと再設定＞に問題が生じます。この場合も、設定しておきましょう。

1 アカウントアイコン→＜設定＞をクリックして、＜Googleアカウント＞画面を表示します。

2 ＜個人情報＞をクリックして、

3 ＜連絡先情報＞の＜メール＞をクリックします。

4 ＜再設定用のメールアドレスを追加＞をクリックして、

5 ＜再設定用のメールアドレスを追加＞をクリックします。

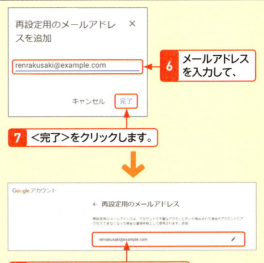

6 メールアドレスを入力して、

7 ＜完了＞をクリックします。

8 メールアドレスが設定されました。

＜ログインと再設定＞で設定する

1 P.154の手順 8 の画面で＜ログインと再設定＞に問題が生じた場合は、クリックします。

2 本人確認を行う方法のいずれかの＜追加＞をクリックします。

3 これ以降は、画面に従って登録します。

第8章 困ったときの解決策

155

Q17 利用規約を確認したい

A ガイドから利用規約を表示します。

YouTubeは、世界中のユーザーが利用する場所です。すべてのユーザーが楽しく利用できるように、利用規約をきちんと守ることが重要です。利用規約は、ガイドのメニューや各種設定画面の下方にある<利用規約>をクリックすると確認できます。
もし、規約に違反した動画をアップロードしてしまった場合は、すぐに削除するようにしましょう（Sec.43参照）。

1 ガイドのメニュー下方にある<利用規約>をクリックすると、

2 YouTubeの利用規約やコミュニティガイドラインなどを確認できます。

3 <著作権センター>をクリックすると、

4 自分の権利を管理する方法や、ほかのユーザーの権利の尊重について確認することができます。

Q18 権利違反の動画を発見した

A 不適切な動画として YouTube に報告します。

動画が著作権や肖像権を侵害していたり、不適切な動画であると思った場合は、YouTubeに報告することができます。動画プレーヤーの下にある…をクリックして、<報告>をクリックし、報告する理由を選択して送信します。
報告は匿名で行われるので、誰が報告したのかは、ほかのユーザーには知らされません。

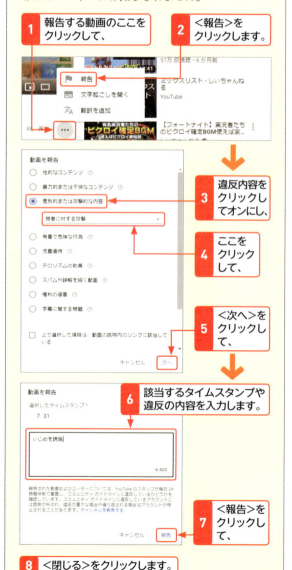

1 報告する動画のここをクリックして、

2 <報告>をクリックします。

3 違反内容をクリックしてオンにし、

4 ここをクリックして、

5 <次へ>をクリックして、

6 該当するタイムスタンプや違反の内容を入力します。

7 <報告>をクリックして、

8 <閉じる>をクリックします。

第8章 困ったときの解決策

Q 19 Googleアカウントを削除したい

A ＜データとカスタマイズ＞画面から削除できます。

Googleアカウントが不要になった場合は、Googleアカウント画面で＜データとカスタマイズ＞の＜サービスやアカウントの削除＞→＜アカウントを削除＞を順にクリックして、パスワードを入力します。注意事項を確認して、＜アカウントを削除＞をクリックすると削除できます。

なお、Googleアカウントを削除すると、Gmailや写真、YouTubeで投稿した動画、連絡先、カレンダーなど、Googleで利用していたサービスのすべてが削除されます。

1 アカウントアイコン→＜設定＞をクリックして、＜Googleアカウント＞画面を表示します。

2 ＜データとカスタマイズ＞をクリックします。

3 ＜データのダウンロード、削除、プランの作成＞の＜サービスやアカウントの削除＞をクリックします。

4 ＜Googleアカウントの削除＞の＜アカウントを削除＞をクリックします。

5 Googleアカウントのパスワードを入力して、

6 ＜次へ＞をクリックします。

7 内容を確認して、

削除する前に、アカウントに保存されているデータをエクスポートできます。

8 これらをクリックしてオンにし、

9 ＜アカウントを削除＞をクリックします。

第8章 困ったときの解決策

索引

A～Z

Android スマートフォン	126, 142
Apple ID	127
Cookieの削除	147
Google	18, 21
Googleアカウント	
削除する	157
作成する	44
Googleにログイン	47, 130
iOS	126
iPhone	126
Microsoft Edge	20
Microsoft IME	147
URL	20
YouTube	18, 20, 22
ログアウト	49
ログイン	22, 48
YouTube Kidsアプリ	138
プロフィールの作成	138, 139
履歴の削除	141
YouTube Premium	146
YouTube Studio	90
YouTubeアプリ	126
YouTubeアプリからの通知	136
YouTubeアプリの種類	150
YouTubeからのお知らせ	103
YouTubeの利用規約	156
Wi-Fi接続	142

あ行

アカウントアイコン	22, 49, 136
アカウントの切り替え	124
アカウントの保護	49
アカウントを作成	44
新しいチャンネルを作成	122
新しいプレイリストを作成	54
アップロード	92, 132
アップロードできるファイル形式	93
＜後で見る＞リスト	52
アドレス	20
アナリティクス	120
アプリからの通知	136
アプリのインストール	126
インターネット速度テスト	147
お気に入り	24
お気に入りバー	24
音量調整	28, 129

か行

回転速度	147
ガイドの表示／非表示	22
画質（解像度）	34
カスタムサムネイル	96
関連動画	36
キーワード検索	70
キャッシュの削除	147
急上昇の動画	88, 128
キューに追加	38
キューの再生順	39
興味なし	80
共有	62, 153
言語設定	148
検索演算子	71
検索結果の並べ替え	73
検索履歴	86
検索履歴の一時停止	87
検索履歴の削除	87
限定公開	98
公開	98
公開日時の設定	99
公開範囲の設定	98
広告を非表示にする	145
コミュニティ	116
コメント	64, 102, 104
管理する	104
固定する	105
削除する	65, 105
投稿する	64
ハートを付ける	103
ブロックする	118
編集する	65
返信する	65, 102

さ行

再生位置の調整	30
再生速度の変更	35
再生リスト	54, 130
共有する	62
公開／非公開の設定	59
再生順の変更	60
削除する	59
作成する	54, 130
並べ替え	60
表示する	56
プライバシーの設定	59

編集する	58		情報を設定する	94
再生履歴	84		トリミング	101
再生履歴の一時停止	85		非表示にする	80
再生履歴の検索	85		評価する	68
再生履歴の削除	85		編集する	100
再設定用のメールアドレス	46, 155		動画の埋め込み	63, 153
サムネイルの設定	96		動画の詳細設定	91
シアターモード	33		動画プレーヤー	26
シークバー	30		登録チャンネル	74, 77
視聴回数	121		解除する	79

再生履歴 ………… 84
再生履歴の一時停止 ………… 85
再生履歴の検索 ………… 85
再生履歴の削除 ………… 85
再設定用のメールアドレス ………… 46, 155
サムネイルの設定 ………… 96
シアターモード ………… 33
シークバー ………… 30
視聴回数 ………… 121
自動再生 ………… 36, 42
字幕 ………… 27, 149
　日本語 ………… 149
進行状況バー ………… 30
新着動画の通知 ………… 76
スマートフォンをWi-Fiに接続 ………… 142
制限付きモード ………… 82
全画面表示 ………… 32, 129
総再生時間 ………… 121

た行

タグ ………… 100
チャンネル ………… 50, 74, 124
　検索する ………… 74
　公開設定 ………… 113
　作成する ………… 50, 108
　使い分ける ………… 124
　登録する ………… 76
　表示／非表示 ………… 81
　プライバシー設定 ………… 112
チャンネル一覧 ………… 77
チャンネル紹介動画 ………… 114
チャンネル名の変更 ………… 109
チャンネルのカスタマイズ ………… 108, 110, 114
チャンネルの説明文 ………… 109
著作権侵害の申し立て ………… 152
通知の設定 ………… 136, 150
ツールバー ………… 27
デフォルトのチャンネルを設定 ………… 123
デフォルト表示 ………… 33
テレビでYouTube動画を見る ………… 151
動画 ………… 18
　アップロードする ………… 92, 132
　画質（解像度）を変更する ………… 34
　共有する ………… 63
　検索する ………… 70, 72, 128
　再生する ………… 26, 128
　削除する ………… 106

情報を設定する ………… 94
トリミング ………… 101
非表示にする ………… 80
評価する ………… 68
編集する ………… 100
動画の埋め込み ………… 63, 153
動画の詳細設定 ………… 91
動画プレーヤー ………… 26
登録チャンネル ………… 74, 77
　解除する ………… 79

な行

入力モードの切り替え ………… 147
年齢確認 ………… 144
年齢制限の設定 ………… 144

は行

パスコード ………… 140
パスワード ………… 45
パスワードの再設定 ………… 154
バナー画像 ………… 110
非公開 ………… 98
フィルタ ………… 72
不適切な動画の報告 ………… 156
プライバシー設定 ………… 55, 113
ブランディング ………… 110
ブランドアカウント ………… 122
フリートーク ………… 116
プレミアム会員 ………… 146
プロフィール写真 ………… 110

ま行・や行

ミニプレーヤー ………… 33
もう一回見る ………… 146
ユーザー名 ………… 45

ら行

ライブチャット ………… 66
ライブ配信 ………… 40, 66, 135
リマインダーを設定 ………… 41
利用規約 ………… 156
履歴を削除 ………… 141
ループ再生 ………… 57, 146
ログアウト ………… 49
ログイン ………… 22, 44, 48

■ お問い合わせについて

本書に関するご質問については、本書に記載されている内容に関するもののみとさせていただきます。本書の内容と関係のないご質問につきましては、一切お答えできませんので、あらかじめご了承ください。また、電話でのご質問は受け付けておりませんので、必ずFAXか書面にて下記までお送りください。
なお、ご質問の際には、必ず以下の項目を明記していただきますようお願いいたします。

1　お名前
2　返信先の住所またはFAX番号
3　書名（今すぐ使えるかんたん YouTube入門［改訂2版］）
4　本書の該当ページ
5　ご使用のOSとソフトウェアのバージョン
6　ご質問内容

なお、お送りいただいたご質問には、できる限り迅速にお答えできるよう努力いたしておりますが、場合によってはお答えするまでに時間がかかることがあります。また、回答の期日をご指定なさっても、ご希望にお応えできるとは限りません。あらかじめご了承くださいますよう、お願いいたします。

■ 問い合わせ先

〒162-0846
東京都新宿区市谷左内町21-13
株式会社技術評論社　書籍編集部
「今すぐ使えるかんたん YouTube入門［改訂2版］」質問係
FAX番号　03-3513-6167

https://book.gihyo.jp/116

■ お問い合わせの例

FAX

1　お名前
技術　太郎

2　返信先の住所またはFAX番号
03-XXXX-XXXX

3　書名
今すぐ使えるかんたん
YouTube入門［改訂2版］

4　本書の該当ページ
78ページ

5　ご使用のOSとソフトウェアのバージョン
Windows 10
Microsoft Edge

6　ご質問内容
手順1の操作をしても、手順2の
画面が表示されない

※ご質問の際に記載いただきました個人情報は、回答後速やかに破棄させていただきます。

今すぐ使えるかんたん YouTube入門［改訂2版］

2018年　7月　6日　初版　　第1刷発行
2020年 12月 31日　第2版　第1刷発行
2021年 11月 13日　第2版　第2刷発行

著　者●AYURA
発行者●片岡　巌
発行所●株式会社 技術評論社
　　　　東京都新宿区市谷左内町21-13
　　　　電話　03-3513-6150　販売促進部
　　　　　　　03-3513-6160　書籍編集部

装丁●田邊　恵理香
本文デザイン●リンクアップ
編集／DTP●AYURA
担当●早田　治
製本／印刷●大日本印刷株式会社

定価はカバーに表示してあります。

落丁・乱丁がございましたら、弊社販売促進部までお送りください。
交換いたします。
本書の一部または全部を著作権法の定める範囲を超え、無断で複写、複製、転載、テープ化、ファイルに落とすことを禁じます。

©2020　技術評論社

ISBN978-4-297-11744-3 C3055
Printed in Japan